정원사는 기억을 심는다

정원사는 기억을 심는다

발행	2024년 06월 03일
저자	정이서
펴낸이	한건희
펴낸곳	주식회사 부크크
출판사등록	2014. 07. 15(제2014-16호)
주소	서울특별시 금천구 가산디지털1로 119 A동 305호
전화	1670-8316
E-mail	info@bookk.co.kr
ISBN	979-11-410-8800-2

www.bookk.co.kr

정원사는 기억을 심는다

정이서 지음

BOOKK

목차

설정   5

기억의 숲   9
향수에 젖어   31
동상이몽   77
소리를 찾아서   97
탐미   121
유성임   156

작가의 말   176

설정

하늘 정원: 신이 만든 곳으로 태어나고 죽은 생명이 지나가는 중간 세계이다.

기억의 숲: 하늘 정원 안에 있는 <모든 생명의 기억>을 보관하는 장소. 기억은 살아있으며 살아있는 존재에게 기생하려는 습성이 있다. 기억은 식물의 모습으로 보관되며, 기억의 주인이 사망하면 책으로 만들어져 '신목 세계 도서관'에 들어간다. 기억의 숲을 관리하는 이를 '기억의 정원사'라고 칭한다.

기억의 정원사: 기억의 숲의 관리자. 살아움직이는 기억이 인간 세계로 넘어가지 않게 하며, 다른 기억에 피해를 주지 않게 한다. 기억이 식물의 형태로 유지할 수 있도록 하며, 죽은 기억을 처분하거나 기억을 직접 죽이기도 한다. 정원사는 대부분 자신에 대한 기억이 없다.

신목 세계 도서관: 기억을 보관하는 장소로 사서과 관장외에는 열람이 불가능하다. 상황에 따라 기억을 폐기하기도

한다.

세계: 기억으로 이루어진 책. 대부분 검은 표지로 되어 있다. 열람은 아무나 할 수 없으며, 세계의 주인만이 대출과 반납이 가능하다. 그 외에는 도서관 사서와 관장이 볼 수 있다.

기록자(관) / 서기: 기억을 기록하는 사람. 이들이 기록한 것이 세계가 된다. 기록자에는 서술자, 조향사, 미식가, 조율사, 몽상가 등이 있다.

서술자: 기억을 시각화하는 기록자. 활자, 회화, 애니메이션이나 조각 등 다양한 형식을 보이며, 그것들을 종합적으로 '나기'라고 부른다.

조향사: 기억을 냄새(후각)으로 기록하는 자. 향수나 향초 등 향을 느낄 수 있는 매개체를 이용한다.

조율사: 기억을 소리(청각)으로 기록하는 자. 여러 가지 악기를 통해 기억을 조율하여 악보에 적는다. 녹음기가 없어 실제로 이 기록을 보기란 어렵다.

몽상가: 무의식, 꿈, 환상, 착각 등 기억나지 않는 모든 것을 꿈을 통해 기록하는 자. 꿈을 꿔 기록하는 형식으로, 실제 그들의 기록물은 도서관 관장만이 알고 있다.

미식가: 미각과 촉각을 통해 기억을 기록하는 자. 시각, 후각, 청각까지 광범위하게 느낄 수 있다. 예민한 기억을 직접 요리해 맛을 느끼는 형식으로, 조향사보다 더 직접적으로 기억을 만진다. 대부분 미식가는 이런 방식 때문에 광기에 사로잡혔다. 때문에 현재 한 사람만이 자리를 맡고 있다.

기억: 생명을 이루는 것. 실 형태로 정확한 색은 보이지 않으며 주인이 죽으면 살기 위해 다른 기억에 기생한다. 그로 인해 기억의 오류가 발생하기도 한다. 기억은 감정적이고 괴팍하여 주인이 살아있어도 쉽게 오류를 범하기도 한다. 알츠하이머, 기억 상실 등에 영향을 끼친다. 정원사에게 잡히면 잉크 형태로 종이에 스며들어 재가공 되어 오류를 수정한다. 기억의 소멸은 기억의 주인이 죽은 뒤가 아닌, 그 주인에 대한 기억이 사라졌을 때이다. 그럴 땐 나비의 모습으로 사라진다. 기억이 사라진다 해도 기록물로써 세계가

존재한다. 그러나 식물의 형태와 달리 살아있는 모습이 아니다. 또한 기억의 소멸은 흔하게 일어나지 않는다.

저승사자: 영혼을 인도하는 자. 죽은 사람을 <미련의 강>으로 보낸다.

미련의 강: 또 다른 이름은 <미래로>. 영혼을 인도한다. 어디로 흐르는 지 아무도 알 수 없다. 오직 신만이 알고 있다.

기억의 숲

푸른 하늘과 몽글거리는 구름이 마치 진부하고 지루한 동화 속 풍경 같은 곳. 거기엔 기억의 숲이 있다. 세상 모든 것의 기억으로 만들어졌다.

숲은 언제나 누군가의 기억이 꼼지락거리며 하나하나 이야기를 풀어간다. 풀어지는 이야기에 따라 숲은 자라기도 하고 죽기도 한다. 낮과 밤, 날씨, 계절에 따라 기억들은 슬프기도 하고 기쁘기도 하다. 시간에 따라 움직임도 다르다.

봄이면 기억들은 우거진 숲을 만든다. 슬픔이 자꾸 자라 차가운 흙바닥 위로 자란 풀과 나무를 감싼다. 추억의 실로 핀 꽃봉오리가 애써 웃는 영롱하고 아름다운 숲이 되고, 숲의 어느 것 하나 슬프지 않은 게 없어 많은 양의 비가 내린다. 봄은 슬픔의 숲이 된다.

슬픔이 자라고 핀 숲은 위험하다. 아름다운 얼굴과 울음소리로 다른 기억을 끄집어내어 봉긋한 입술로 잡아먹는다. 잡아먹힌 기억은 그렇게 사라진다.

꽃이 지고 녹음이 더 짙게 변하면 기억의 숲은 작은 웃음소리로 가득해진다. 그때는 녹음의 숲이다. 기억 한줄기 추억들이 나뭇잎을 타고 톡톡 떨어진다. 또 길게 늘어진 그림자를 밟으며 자질구레한 말을 속삭인다. 하늘을 가리며 그늘이 진 곳을 헤매던 기억은 심심한 이야기를 제멋대로 떠든다.

평범한 속삭임이 오간다. 슬픔이 떨어지지 않았지만 작은 미소가 조금씩 번진다. 하늘을 향해 뻗은 가지들과 선명하고 웅장한 볕을 만진다. 콧노래가 들릴 듯 말 듯 바람에 잎사귀들이 흔들리며 녹음의 기억이 팔랑거린다. 가끔 눅눅한 비가 내리면 조용히 하늘이 주는 빗물을 받는다. 그럴 때 숲을 침묵이 감싼다.

여름의 숲은 누구도 잡아먹히지 않는다. 아무것도 남기지 않는다.

여름의 숲이 볕에 점차 물들고 가을의 갈빛이 되어 바스락거린다. 그리고 이곳은 다시 슬픔의 숲이 된다. 잠시 멈춰있던 슬픔이 다시 차곡차곡 쌓인다. 여린 가지를 타고 낙엽과 함께 떨어진다.

웃음은 멎고 절망 어린 과실이 맺히는 숲이 된다. 눈물이 마르지 않아 속이 뒤집히고 꾸역꾸역 삼켰던 아픔들을 토해내고 발버둥 친다. 기억은 멈추지 않는다. 추억은 바라지지 않고 더욱 선명하게 색을 물들인다.

슬픔도 울음도 바람을 타고 뒤엉키다 얼고 하얀 눈이 펑펑 쏟아져 그들을 감싸면 모든 것이 앙상해진다. 추억거리는 탁탁 모닥불이 되어 숲을 녹이려 한다. 그때 숲에 고요

함이 울린다. 겨울의 숲은 모락모락 피어난 추억으로 눈물을 닦는다.

어두운 밤하늘은 별빛으로 가득해진다. 밝은 빛들이 반짝인다. 짙고 깊은 밤은 서린 숲을 다독인다. 메마른 나무에 기댄 기억은 하늘을 올려다본다. 금방이라도 떨어질 듯이 맺혀있다. 눈 아래 슬픔도 절망도 파묻혔다. 조용히 부는 바람만이 떠돈다. 봄이 오면 다시 조금씩 녹아내리는 땅에서 기억이 피어오른다.

다시 온 봄볕을 향해 고개를 내미는 기억들은 제때 뽑지 않으면 숲을 삼킨다. 슬픈 숲은 매일매일 커다란 가위로 다듬고 삽으로 뽑아내야 한다. 긴 겨울 동안 잠들었던 기억들은 간만에 보는 세상에 탐욕스럽게 입을 벌린다.

기억이 서로를 먹고 마시는 건, 기억되기 위해서다. 그렇기에 숲은 늘 웃음과 울음으로 가득하다. 내지르는 비명과 웃음소리, 기억의 외침만이 머무는 숲. 이 숲에는 정원사가 있다.

어떤 기억도 감정도 정원사에게 동정을 사지 못했다. 크고 날카로운 가위로 기억을 자르고, 뾰족한 삽으로 뿌리를 심는 그들에게 기억은 그저 잡초일 뿐이었다. 미련하고 또 처지를 모르는 귀찮은 물건에 불과했다. 누군가 버린 기억, 누군가 소중히 여기던 기억, 어떤 기억이든 잡초는 아무런 의미도 미련도 갖고 있지 않다.

정원사는 바라진 기억을 뽑고 그 자리에 새로운 기억을 심는다. 시들어가는 것에 좋은 흙과 물을 주다가도 썩어가면 거침없이 베었다. 보살피는 것 같다가도 뜯어내는 손길에 자비는 없다.

'기억은 추억으로 시작된다. 추억은 기억의 한 페이지다.' 한 정원사가 하얀 돌 위에 적힌 글씨를 손바닥으로 쓸었다. 누군가 제멋대로 정원 입구에 낙서를 해버렸다. 이미 벌어진 일이고 본인이 처리할 수도 없는 일이라 낮잠이나 잘까 하고 몸을 기댄다. 머리 위로 쏟아지는 햇볕에 따뜻해진 돌덩어리는 단잠에 들기 좋았다.

오래전부터 따뜻한 건 다 좋아했다. 정원사가 이곳에 오기 전 마지막으로 머물렀던 곳은 누군가의 이름이 적힌 곳이었다. 꽃다발이 비슷하게 생긴 돌덩어리 앞에 놓였고 그 앞에서 인간들이 몸을 접고는 했다. 엎드리는 시간이 정적이고 지루해서 바라보다 몸을 동그랗게 말고 잠을 잤다.

꽃다발은 금방 마른다. 냄새는 그에 비해 좀 더 갔던 것 같기도 하다. 먹지는 못했다. 맛없는 풀떼기보다 더 맛있는 것들을 쌓아두는 게 좋았다.

13

당시에는 꽤 오래 굶은 상태여서 그렇게 생각했을 거다. 오래 굶고 추운데 아무것도 없는 상태에서 유일하게 따뜻하게 해주던 낮이 좋았다. 정원에서 가장 좋은 점이 이 점뿐인 것 같다.

정원은 죽은 자들을 위해 만들어진 낙원 같은 곳이다. 그 낙원을 가꾸고 누군가 길을 잃지 않게 정원사들이 관리한다. 당연하게도 정원사들도 죽었다. 암묵적으로 그 사실을 숨기지만 모두 알고 있다. 다만 그중 기억의 숲에서 일하는 정원사들은 죽기 전 기억을 가지고 있지 않다. 기억의 숲은 살아있는 것과 죽어있는 것의 모든 기억을 가지고 있고 그곳에서는 자신이 기억을 가졌다고 한다면 두 번 죽을 거다.

정원사는 그 사실을 알고 있기 때문에 입을 다물었다. 보통의 사람이 아니기 때문에 가졌던 죽기 전 기억은 모든 것들을 끄집어왔지만 그게 땡땡이를 치는 이유는 아니다. 그냥 따뜻한 게 좋은 거다.

정원사가 추억에 잠긴 사이 또 다른 정원사가 찾아왔다. 높게 이름을 부르며 땡땡이냐고 화를 내는 걸 보고 천천히 자리에서 일어났다. 또 다른 정원사는 그보다 얼굴이 하나 더 차이가 나 고개를 푹 숙여야 볼 수 있었다. 뚱하게 바라보니 또 다른 정원사가 성가시다는 듯이 왼손으로 정원사의 얼굴을 치운다. 제대로 일하라며 키가 큰 정원사의 팔을 잡

14

아끌었다.

정원사는 작은 머리를 또 가만히 쳐다본다. 새까만 머리에 오른손을 얹었다. 온기가 느껴진다. 작은 정원사는 다시 손을 치우기를 반복한다. 작은 정원사가 그의 발을 밟고 화를 내며 정원 안으로 들어갔다. 정원사는 까맣고 작은 뒤통수를 졸졸 따라간다.

숲의 안은 깊고 까매 낮의 햇볕과 멀어진다. 두 정원사는 그늘 속을 헤매지 않았다. 익숙하게 비슷해 보이는 길을 걸었다. 그러다 무언가 발목을 확 잡아당겨 둘 다 걸음을 멈춘다. 까맣고 뭉텅이진 게 그늘 사이로 보였다.

작은 정원사가 소매 손에 손가락을 넣고 꼼지락거리다가 은색 작은 가위를 꺼낸다. 큰 정원사는 멀뚱히 동료의 행동을 감상한다. 희미하게 새어 들어오는 햇빛에 반짝이는 가위 끝이 어두운 그늘을 잘랐다. 숲을 채우는 그늘이 치워지고 더 많은 햇빛이 들어온다. 두 정원사의 발목을 잡았던 뭉텅이가 꿈틀거리며 나무들 사이로 들어갔다.

작은 정원사는 다시 가위를 소매 안으로 넣는다. 잘라진 그늘 대신 채운 햇볕을 따라 다시 걷기 시작했다. 큰 정원사는 아래로 떨어진 그늘을 주섬주섬 주웠다. 너무 길어 품에 다 들어가지 않아 몇 가닥이 바닥을 향해 축 늘어진다.

"너무 길다."

큰 정원사가 말했다. 작은 정원사가 몸을 돌린다. 등 뒤로 퍼지는 햇빛 때문에 얼굴이 잘 보이지 않는 대신 통명한 목소리가 점점 다가왔다.

"가방 들고 다니랬잖아."

"어깨에 무언가를 얹는 건 불편한-."

"-그래."

작은 정원사는 그늘을 잘랐던 것처럼 말허리를 잘랐다. 아래로 늘어진 그늘을 돌돌 말아 큰 정원사 품에 올렸다. 앞이 보일 듯 말 듯 했다. 작은 정원사는 넘치지 않도록 끙끙대는 큰 정원사의 뒤로 갔다.

"걸어봐."

큰 정원사는 말을 잘 들었다. 천천히 움직이는 뒤로 간 작은 정원사가 손바닥으로 등을 밀었다. 작은 손바닥은 밀어도 커다란 덩치를 넘어뜨리지 못했다. 대신 어렵지 않게 걸을 수 있었다.

"왜 멋대로 입구로 간 거야?"

작은 정원사가 등 뒤에서 말을 걸었다. 큰 정원사가 햇빛 때문에 눈을 찡그린다. 다행이 동료에게 보이지 않았다.

"누군가 오는 소리를 들었다."

"아무도 오지 않았어."

작은 정원사가 말했다.

"낮잠을 잘 생각으로 간 거라면 다시는 그러지 마."

"거짓말 아닌데."

큰 정원사가 중얼거린다. 작은 정원사는 동료의 뒷모습을 보며 다시 말했다.

"어찌됐든 나가지 마."

큰 정원사는 대답하지 않았다. 수긍도 거절도 하지 않았지만 또 그럴 거라는 분위기를 풍겼다. 작은 정원사가 한숨을 내뱉고 조금 더 세게 등을 밀었다. 큰 정원사가 눈을 커다랗게 뜨고 뒤를 돌아본다.

"그러면 넘어져."

"자지 마."

큰 정원사는 이해할 수 없다는 얼굴로 동료를 내려다본다.

"안 잤다. 뭐가 불만인 거지?"

작은 정원사가 입술을 떼었지만 말이 곧바로 나오지 않았다. 큰 정원사는 몸을 더 숙인다. 품에 있던 그늘이 후드득 떨어진다.

"떨어지잖아."

작은 정원사가 주저앉아 그늘을 줍는다. 큰 정원사는 멀뚱멀뚱 서 있기만 했다. 작은 정원사가 모두 주워 제 품에 안은 뒤 다시 큰 정원사를 앞장세운다. 재촉하는 손길이 느껴져 긴 다리로 빠르게 걸었다.

걷는 동안 다 걷어내지 못한 그늘 사이로 검은색 뭉텅이들이 다가온다. 더 빨리. 작은 정원사의 목소리가 들렸다. 큰 정원사는 더 빠르게 다리를 움직였다. 뒤에서 들려오는 목소리가 점점 작아진다. 한참을 달리던 큰 정원사는 소리가 더이상 들리지 않자 멈춘다. 숨을 헐떡이며 동료의 이름을 부르지만 대답이 돌아오지 않았다. 급하게 뒤를 돌아보니 작은 정원사가 보이지 않았다.

큰 정원사는 품속 그늘을 모두 바닥에 떨어뜨렸다. 그의 시선은 한 곳에만 머물렀다.

어느 도시 작은 집에는 라즈베리 벤 다즐링씨가 살고 있었다. 라즈베리 벤 다즐링 씨는 부드럽고 풍성한 노란색 털과 심드렁한 노란 눈의 우아한 고양이다. 원래는 도시 밖에서 홀로 다녔다가 평범한 회사원 유성임에게 주워졌다.

라즈베리 벤 다즐링이란 이름도 유성임씨가 붙였다. 그의 작명센스에 혀를 내둘렀지만 먹은 털 뭉치만큼 어쩔 수 없는 일이다. 머리를 연보라색으로 물든 사람이니 별 수 없다. 라즈베리 벤 다즐링 씨는 자신의 이름을 붙여놓은 인간 캔따개가 갖다 바치는 음식과 장난감, 상자들에 만족했다.

라즈베리 벤 다즐링씨는 그릉거리며 택배상자 안에 몸을

말아 자는 걸 좋아한다. 좋은 침구를 사다줘도 상품이 있던 상자 안에 들어갔다. 캔따개는 그의 행동을 도무지 이해할 수 없다며 고개를 저었다. 상자가 찢어지고 망가져도 나올 생각을 하지 않았다.

라즈베리 벤 다즐링 씨는 창틀에 앉는 걸 좋아한다. 하늘은 파란색, 붉은색, 검은 색깔로 반짝거렸다. 색이 바뀌는 걸 구경하는 게 새로운 취미였다. 그 마음을 모르는 캔따개는 이상한 고양이 친구라고 했다.

라즈베리 벤 다즐링 씨는 음식을 가리지 않는 착한 고양이다. 우아하고 고귀한 고양이지만 가져온 사람의 성의를 봐서 먹어주는 표정까지도 평온했다. 잘 울지 않았고 잘 뛰지도 않았다. 항상 어딘가에 몸을 동그랗게 말고 멍을 때리고는 했다. 드물게 화가 나면 보이는 물건들이란 물건들은 다 쓰러트리고 특히나 식탁 위에 있던 컵과 그릇을 떨어뜨렸다. 인간은 말이 안 통하니 고양이에게 화도 못 낸다. 우아한 고양이는 망연자실한 인간까지 발바닥으로 툭툭 치며 바닥에 쓰러뜨린다.

유성임은 라즈베리 벤 다즐링 씨를 라벤더씨 혹은 친구님이라고 부른다. 근처 사는 인간 친구는 고양이에겐 너무 과분한 호칭이라고 말하곤 했다. 캔이나 따는 집사들 주제에 그런 호칭을 부르는 게 더 과분하다는 유성임의 말에 라즈베리 벤 다즐링씨는 짧게 애-옹했다.

유성임은 우아하고 조용한 고양이 친구를 위해 항상 많은 것들을 제공한다. 통장에 구멍이 나겠다며 울상을 지으면서도 인터넷 쇼핑으로 고양이 용품들을 알아본다. 책장에 쌓아둔 고양이에 관한 책들이 너덜너덜 해진 걸 라벤더 씨가 바닥에 떨구어 방석으로 삼았다.

라벤더씨는 뭐든 방석으로 삼는 걸 좋아한다. 유성임이 바닥이나 침대에 누워 쉬는 동안에는 꾹꾹 발로 밟아가거나 올라타 식빵을 굽기도 하고 화장실 모래에 드러눕기도 했다. 잘 돌아다니지 않아 한 곳에 꽂히면 한참을 있다가 잠이 들었다.

그가 잠이 들 때면 유성임은 한참을 쓰다듬다가 자신의 침대로 데려가 같이 잠에 들었다.

우아한 고양이와 인간의 우정이 갑작스러운 우연으로 시작되었듯이 이별도 그랬다.

7월 중순 즈음 더위에 지친 라벤더 씨는 축 늘어진 친구를 흔들어 깨웠지만 일어나지 않았다. 기분이 좋았다가 나빠지기도 했지만 깨우면 곧바로 일어나 안아주던 친구가 평소와 다르단 걸 깨달았다. 울음소리를 내며 발로 열심히 흔들었다. 반갑게 친구를 부르던 목소리가 들리지 않았다.

깨우기 지쳐 근처에 누워 힘없는 소리를 몇 번인가 내다 쓰러졌다. 눈을 떴을 땐 자신이 제일 싫어하는 병원이었고 몰래 빠져나와 친구를 찾았다. 한참을 찾다가 똑같이 생긴 돌이 있는 곳으로 갔다. 냄새를 찾아 돌아다니다가 제대로 읽을 수 없는 글씨 앞에 몸을 말고 누웠다.

긴 이름 대신 라벤더라 불리는 고양이는 하늘을 멍하니 봤다. 잿빛에, 눅눅한 냄새가 났다. 따뜻한 빛은 보이지 않았다. 발이 아팠다. 아프다고 울 힘이 없어서 앞발로 허공만 휘휘 저었다. 아무것도 잡히는 게 없다.

공기가 차갑고 바람이 부는 스산한 공간이 싫었지만 벗어나지 못했다. 매일 네모난 창으로 보던 하늘이 싫증난다. 여름이라 후덕한 날씨여서 더 지쳤다.

라벤더 씨는 밖을 좋아하지 않았다. 길고양이 출신이지만 집을 얻은 이후 집밖으로 거의 나가지 않았다. 항상 따뜻하고 푹신한 곳만 찾아다녔다. 인간 친구가 살이 찐 것 같다며 밖으로 산책을 가자고 몇 번이나 말해 두세 번 가줬지만 이후 집에서 깃털 달린 줄이나 공을 가지고 놀았다.

밖은 추위나 더위를 막아주지 않았다. 어떤 위협에서 자신을 지켜주지 못했다. 굳이 아늑한 곳에 왔는데 위험한 곳으로 가야한다니 상상도 하고 싶지 않았다.

다시 밖으로 나오게 됐으니 기분이 좋지 않았다. 쉬고 싶다는 생각만 강하게 들었다. 친구는 보이지 않았다. 쓰다듬는 손길이 없다. 몇 번 만지지 말라 때리긴 했다.

그래도 만져 주는 게 싫지 않아서 몇 번은 내버려뒀다. 지금은 털을 스치는 바람만 느껴졌다.

날이 몇 번 바뀐다. 어느 날은 비가 쏟아졌고 갠 뒤엔 여름 햇빛이 강하게 내리꽂았다. 보송보송 털을 말리고 누운 돌덩이를 데운다. 라벤더 씨는 비도 햇빛도 피하지 않았다. 조용히 숨만 죽인다.

가끔 인간의 말을 알아듣고 싶었다. 자신을 부르는 소리나 속삭이는 말들을 모두 이해할 수가 없어 인간 친구의 많은 말들을 모두 알아먹을 수가 없다. 말이 통했다면 적어도 밖으로 나갈 일은 없었을 거다. 라벤더 씨는 다음에 만나면 적어도 말이 통하는 종족으로 태어났으면 했다. 그런다면 제멋대로 남을 만지는 없을 거다.

낮이 몇 번이고 바뀐다. 밤도 몇 번이고 온다. 오래도록 먹지 못했다. 라벤더 씨는 낮잠을 좋아했다. 네모난 하늘과 몸이 아래로 푹 들어가는 것들을 좋아했다. 몸을 말고 눈을 감고 들리는 소리에 귀를 기울이면 세상은 조용해진다. 그 시간들이 무척이나 좋았다.

계속 숨을 고르다보면 익숙한 냄새와 소리가 들린다. 느리게 현관으로 가 문 앞에 서면 인간 친구가 반갑게 이름을 불렀다.

네모보다 큰 하늘과 내리쬐는 것들, 소리를 죽이고 들리는 소리에 집중하다보면 눈앞에 분명히 자신의 친구가 찾아온다. 그건 변하지 않았다. 멀리서 익숙한 소리가 들린다. 라벤더는 천천히 몸을 일으켜 소리에 다가간다. 연보라색 머리카락이 하늘을 가득 채운다.

 라즈베리 벤 다즐링 씨는 친구의 곁에서 죽었다. 똑똑한 고양이는 자신의 죽음을 받아들인다.

 작은 정원사는 품에 안은 그늘을 바닥에 내려두고 다시 가위를 꺼냈다. 주위에 잔뜩 몰려온 뭉텅이들을 노려보며 욕을 해댄다. 바닥에 놓은 그늘이 꿈틀거리며 뭉텅이 쪽으로 움직이려 하자 정원사는 발로 밟아 으스러뜨렸다.

 뭉텅이들은 움찔거리며 주변을 뱅뱅 돈다. 정원사는 성가신 애들을 어쩜 좋을지 고민한다. 머리가 팽팽 돌았다.

 기억의 숲은 정원에 있는 수많은 숲 중 가장 골치가 아팠다. 이성이 없는 기억의 덩어리들이 정원사들만 보면 입을 벌리고 달려들었다. 자신의 감정들을 이입시키고 머리를 아프게 하곤 했다.

 정원사는 자신의 운이 더럽게 없다고 생각했다. 죽어도 곱게 못 죽고 노동을 하는데 노동을 방해하는 성가신 존재에 성가신 존재가 좋아하는 자신이라니 정말 이런 우연도 없을 거다. 원한 적도 없는데 이런 상황에 처하니 신이 자신을 끔찍하게 아낀다는 생각밖에 들지 않았다.

신에게 이런 발언을 했다는 걸 상사가 알면 상당히 혼날 테지만 본인도 성가신 일에 계속 엮이다보면 절로 욕이 나올 거다. 불손한 자신을 욕하면서 잡초들을 죄다 짓밟고.

작은 정원사는 허리에 손을 얹고 주변을 훑는다. 그늘을 걷어내지 못한 곳을 위주로 득실대는 뭉텅이들은 기억이다. 기억은 다른 기억을 잡아먹고 생물에 기생하려고 든다. 지들끼리 못 잡아먹어 안달이더니 사리분별도 못하는 것들이 사람을 성가시게 한다. 신입이었다면 당황해서 버둥거렸을 테지만 이런 일을 한두 번 겪는 게 아니다. 학습능력이 없더라도 저 기억들은 하나같이 미쳐있다는 건 누구나 알 수 있을 거다. 작은 정원사는 가위를 빙글빙글 돌렸다.

기억의 숲에 오기 전에 작은 고양이 한 마리를 길렀다. 보통 고양이 크기였는지는 잘 기억하진 못했지만 품에 안았을 때 너무 작다고 생각했다. 드문드문 구멍이 난 기억 중 유난히 그 고양이가 자주 나타난다. 눕는 것과 창문에 앉아있는 걸 가장 좋아했다.

고양이를 처음 키워본 건 아니었다. 본가에는 늘 동물들이 득실거렸다. 그렇게 좋아하지도 싫어하지도 않았지만 마지막으로 키운 고양이는 정이 갔다. 마음에 얹혀서 죽어서도 걱정했다. 그런 감정들을 지워 달라 했더니만 지우는 사람이 실수했는지 고양이가 지워지지 않았다.

지워지지 않아도 기억에게 잡아먹히지 않았다. 정원사의 가위는 다가오는 기억들을 자른다. 떨어져 나간 기억들은 그늘 사이로 스며드는 햇빛에 몸을 웅크렸다. 고양이는 죄가 없다. 작지만 따뜻하고 소중한 의미를 가진다.

큰 정원사는 작은 정원사의 성격을 잘 알았다. 또 쫓아오는 기억들 때문에 신경질이 나서 처리하려는 거다. 가봤자 별로 도움도 될 것 같지도 않았다. 자신은 과거 기억을 소유하고 있고 분명 기억들이 맛 좋은 참치캔을 발견한 것처럼 올 거고 그렇게 되면 동료는 화가 나서 정원사까지 같이 흙으로 돌려보낼 거다.

정원사는 동료가 보이지 않는 숲을 빤히 쳐다보며 자리를 서성거리기만 한다. 다행히 그가 선 곳은 볕이 잘 들었다.

가만히 있는 일을 가장 잘했다. 멍하니 하늘을 보고 낮잠을 자고 서성이며 기다리는 일은 수고를 들지 않아도 할 수가 있다.

유성임은 발목까지 내려오는 나풀나풀한 치마를 잘 입고

다녔다. 그걸 좋아했다. 천은 부드러운 재질이어서 무릎에 앉는 게 좋았다. 보랏빛 머리카락이 자신을 내려다보느라 길게 내려와 얼굴 위로 쏟아지는 게 좋았다. 시간이 갈수록 헐렁한 바지를 입고 머리색이 까맣게 변해가는 모습도 나쁘지 않았다.

숲에서 하늘을 보는 일은 적다. 바닥을 보며 기어 다니는 기억들을 줍는 일이 많았다. 키가 작은 정원사는 더 작아졌다.

기억된다는 건 좋은 거라 생각했다. 작은 머리를 굴려 정원사가 됐지만 그에겐 잘 맞지 않았다. 보라색 머리를 쫓아다녔을 뿐이다. 지금은 자신의 머리만 보라색이다.

정원의 하늘은 해가 진다. 점점 붉은색으로 물들었다. 전에 봤을 때는 불에 타는 것 같다고 생각했다. 정원의 노을은 유난히 붉어서 누군가 억지로 덧칠해둔 것 같다. 찬바람이 불며 나뭇가지를 흔든다. 기억의 숲은 스산한 분위기를 풍긴다. 바람에 날리는 나뭇잎을 따라 기억들도 파르르 떨었다. 기억의 재생이 시작된다. 귓가를 떠돌며 들리는 여러 소리가 정신없이 정원사를 집어삼킨다.

네모난 창문이 보였다. 크지 않은 창문 앞에는 고양이 한 마리가 앉아있다. 작은 숨소리가 공간을 울린다. 하늘은 노을빛으로 물들고 있었다. 타오르는 빛을 한참을 본다. 하늘이 보라색이 되어서야 작은 몸은 일어나 바닥으로 내려갔다. 작은 발걸음으로 문 앞에서 꼬리를 흔들었다. 도어락 잠금이 풀리는 소리가 들려온다. 고양이는 작게 울었다. 곧 문이 열리고 다홍색 긴 치마가 모습을 드러낸다.

고양이가 다가가 치마에 몸을 비비는 순간 눈앞에 하얀 천이 나타났다. 정원사는 화들짝 놀라 천을 손으로 걷었다. 천 너머로 작고 새까만 머리가 나타났다.

"정신 차려!"

"……."

"너 일 한두 번 해?"

작은 정원사의 단호한 얼굴이 보였다. 큰 정원사는 무슨 말을 하려다가 입을 꾹 다물었다. 작은 정원사가 얼굴을 잡고 천으로 벅벅 닦아내기 시작했다.

"야, 어떻게 처분하고 온 나보다 네 꼴이 더 엉망이냐?"

작은 정원사의 얼굴은 상처 하나 먼지 하나 없이 깔끔했다. 천이 적셔지는 걸 볼 뿐 큰 정원사는 대꾸도 하지 않았다. 작은 정원사가 천을 거두고 동료의 팔을 잡는다.

"가자."

"……."

큰 정원사는 아무런 대꾸 없이 그늘을 주워들고 따라갔다. 시선은 보라색으로 점점 바뀌는 하늘로 향한다. 낮잠이 자

27

고 싶었는데. 큰 정원사는 아쉽다. 그 생각을 읽었는지 작은 정원사가 그를 돌아온다. 어두워진 하늘보다 까만 눈과 마주쳤다.

"잘 생각 마. 야근시킬 거야."

"악독상사."

"그건 또 누구한테 배웠어?"

작은 정원사는 학부모로서 충격이라도 받은 반응이다. 큰 정원사는 모르는 척 그의 앞을 가로질렀다. 작은 정원사가 빠르게 그의 옆에 붙으며 잠자면 가만두지 않겠다는 말을 반복한다. 빛이 사라져가는 숲에 나지막한 웃음소리가 울린다.

웃음소리를 따라가면 피곤에 찌든 한숨소리가 늘어난다. 숲 깊은 곳에 여러 정원사가 옹기종기 모여 업무에 시달리고 있다. 그들 주위에 몰린 기억들은 지치지도 않는지 입을 벌렸다.

"언제 끝이 날까요? 오늘따라 더 많네요."

곱슬머리 정원사가 툴툴거렸다. 안경을 쓴 다른 정원사도 고개를 끄덕였다. 밤이고 낮이고 악순환이다. 속이 없는 기억은 봄이오면 유독 외로움을 탄다.

"기억의 주인이 죽어도 기억은 살아나니까, 기억의 주인이 있다면 어느 정도 조절이 되지만 조절해줄 사람이 없으니까 난리를 치지."

키가 작고 새까만 머리를 올려 묶은 정원사가 말했다. 바로 옆에서 물뿌리개와 삽을 든 키가 크고 연보라색 머리 정원사가 고개를 찬찬이 끄덕였다.

"차라리 그냥 하루치의 기억만 갖고 살고 싶어,"

"다 지워버리는 편이 속 시원할 텐데. 밤에 이불속에서 난리를 치는 것보다."

안경잡이가 말했다. 가장 구석에 있던 붉은 정장을 입은 정원사가 화들짝 놀란다.

"너희 정원사 맞아?"

키가 작은 정원사가 정말 믿기지 않는다며 표정을 지으며 몸을 홱 돌린다. 긴 치마가 따라 나풀거린다. 보라색 정원사는 눈치를 살핀다. 화가 난 친구를 달래려고 애쓰지만 도리어 불똥이 튄다. 억울해 티격태격하는 사이 기억들 사이로 파랑새 한 마리가 나타난다.

붉은 옷의 정원사가 새를 잡자 작은 정원사가 그를 본다. 붉은 정원사는 곤란한 표정을 짓는다.

"무슨 일이야?"

"어.......기억이 사라졌어요."

작은 정원사가 표정을 마구 구기고 다가간다. 제대로 읽었냐고 닦달하자 큰 정원사가 팔을 잡았다. 작은 정원사는 자신의 머리를 잡아 뜯으며 동료들에게 말했다.

"하던 일 멈추고 수색을 시작한다."

곱슬머리 정원사가 투덜거리며 장비를 주머니에 넣었다. 다른 정원사들도 들러붙는 기억들을 떼어내며 앞장서 걷는 작은 정원사를 따랐다. 작은 정원사는 가위로 어두운 하늘을 잘라낸다. 달빛이 스며들며 숲은 밝게 반짝거린다.

"기억에게 잡아먹히지 않게 조심해라. 넌 너무 욱해."

"네 앞가림이나 잘해. 자기만 해봐."

옆에 딱 붙어 나불대는 큰 정원사를 노려본다. 정말 잘 흥분한다.

"친구의 조언은 잘 받는 게 좋다."

"너 같은 걸 친구로 두다니."

"영광이라고 생각한다."

보라머리 정원사가 차분하게 말했다. 그의 말에 나풀나풀 치마 정원사는 신경질적으로 가위를 들고 반대편으로 걸어 갔다. 어린애도 아니고. 보라머리 정원사는 고개를 젓는다.

나풀나풀 치마 정원사는 씩씩거리며 저 혼자 가버린다. 연보라 머리 정원사는 그 뒷모습을 가만히 지켜본다. 둘 사이로 기억의 울음소리가 바람을 타고 지나간다.

향수에 젖어

당신은 한 건물에 들어갔다. 다각형 모양의 천장에는 수많은 별자리가 떠 있다. 금방이라도 아래로 떨어질 듯 빙글빙글 돌았다. 그 가운데 커다란 태양 모양의 장식이 아래를 향하며 밝은 빛을 바랐다. 커다란 별 아래에는 혈관처럼 보이는 나뭇가지가 천장과 바닥을 잇는 벽이 되었고 나무 나이테를 중심으로 정신없이 오가는 사람들과 여러 방이 똑같은 모양으로 활짝 열려있다. 이곳은 '하늘정원세계도서관'이다.

당신은 이 낯선 곳에 왜 왔는지 생각한다. 분명 누군가에게 핸드폰으로 문자를 보내고 있었다.

[여기로 와.]

짧은 주소가 적혀있었다. 그 말에 눈시울이 붉어졌다. 담배가 폐를 까맣게 물들였고 코가 시큰거린다. 고맙다는 답장을 보내려고 했다. 갑자기 커다란 바람이 당신에게 불었다. 하얀 천이 얼굴을 감쌌고 중심을 잃었다. 중심을 잃은 순간, 강가로 몸이 굴러갔다. 들고 있던 캐리어가 망가지며 가장 먼저 물에 들어갔고 당신도 뒤를 이었다.

시야가 물로 가득해진다. 공간이 푹 젖었다. 빨간 눈으로 앞을 봤다. 나는 죽고 싶지 않아. 목구멍까지 차올랐지만 물 때문에 소리가 나오지 않았다. 계속 속으로 외쳤다. 살고 싶어!

그 순간, 베일이 벗겨지듯 젖은 풍경이 바닥으로 떨어졌다. 시야가 맑아지고 앞에 검은색 책이 한 권이 바닥으로 뚝 떨어졌다. 당신은 홀린 듯이 그것을 잡았다. 먹먹했던 귀가 시원하게 뚫리며 차가운 목소리가 들려왔다.

"안녕하십니까, 박운 씨. 제 이름은 유성임입니다. 하늘정원-기억의 숲 제 1구역 3팀의 팀장이죠. 당신의 세계를 반납하시겠습니까?"

"'세계'?"

당신은 멍하니 중얼거렸다. 앞에는 체구가 작고 얼굴이 새하얀 여성이 서 있었다. 그는 무뚝뚝한 얼굴로 당신을 올려다보며 대답했다.

"당신이 들고 있는 걸 말합니다."

당신은 자신이 든 책을 바라봤다. 검은 표지로 된 양장본은 하얀 무늬가 있었고 무늬 아래 다음과 같은 글씨가 적혀 있다.

-故 박운(82-19940707-20150523-15889191(가-ㅂ))

"이게 무슨…….."

"아, 귀하는 사망하셨습니다."

유성임 팀장의 뒤로 거구의 청년이 불쑥 고개를 내밀었다.

어디서 나타났는지 모를 그는 순진한 얼굴로 설명을 이었다.
그래, 이 사람이 바로 나다.

　"본의 아니게 저희 쪽 담당으로 넘어오셨습니다. 본래라
면 '사고사'로 분류되는데 귀하의 상황에서 세계는 귀하
를 '자살' 명단에 올렸습니다. 저희는 이 부분을 조사하
여 정확히 어디로 가셔야할지 더 조사할 예정입니다만, 일
단은 저희 팀과 함께 가시죠."

　"라벤더, 내가 너보고 설명하랬어?"

　유성임 팀장이 살짝 미간을 찌푸린다.

　"하지만 너는 너무 냉정하다. 상황을 잘 설명해줘야 한
다. 산 것들은 죽음을 이해하지 못한다. 스스로 죽는 자들
조차 자신이 왜 죽었는지 모른다. 그렇기 때문에 더 상세하
게 설명을……."

　"제, 제가 죽었다고요?"

　당신의 목소리가 떨렸다. 두 눈에 눈물이 가득 차올랐다.

　"아닌데, 절대 아닌데…….전, 전 죽을 생각이 없었어
요! 죽고 싶지 않았어요! 어째서 제가 죽어야하는 거죠? 왜
죽은 거죠? 전 그냥 걷고 있었어요! 친구의 집으로 가려고
했다고요!"

　나는 차분하게 소리치는 당신의 어깨에 손을 얹고 대답했
다.

34

"미안합니다. 귀하는 사망하셨습니다. 이 건은 저희 쪽 실수가 있습니다. 원래 귀하는 죽을 날이 아니었습니다. 그러나 저희 '신목 세계 도서관'은 귀하를 사망자로 보았습니다. 저승사자의 책에 당신의 이름이 적혔고 혼수상태로 반년 가까이 있었습니다. 그 기간 동안 어떻게든 수습하려 했지만 이런 상황에서는 이름이 적힌 본인의 의지가 강하거나, 그 본인의 기억이 또렷해야지만 둘 다 해당되지 않았습니다. 아, 미리 말씀드리지만 사자의 책에 이름이 한번 적히면 지워지지 않습니다."

나는 그 말을 마지막으로 입을 다물었다. 당신은 설움이 터졌다. 울음이 막 처지려는데 이번엔 다른 사람이 나타났다. 키가 큰 소녀였다. 앳된 그가 곱게 접은 손수건을 내밀었다. 라벤터 향이 났다. 얼마 전 새로 들어온 정원사다.

"그, 잘 부탁드립니다."

나는 아직 응하지도 않았는데. 그렇게 말하는 얼굴에 유성임이 더욱 덤덤하게 말했다.

"책에 영혼을 가두고 평생 기억이 지워지길 기다리셔도 됩니다."

"그, 그렇게 하면 어떻게 되는 거죠?"

"영원한 죽음을 맞이합니다."

"……."

35

당신은 아무런 생각도 들지 않았다. 점점 머릿속이 차갑게 변했다. 눈물도 나오지 않았다. 무슨 말도 나오지 않아 더듬거리는 당신에게 내가 손을 내밀었다.

"자, 그럼 귀하께서 있어야할 장소를 안내하겠습니다."

"그 호칭 내가 하지 말랬지."

유성임이 짜증스럽게 나를 쏘아본 뒤, 박운에게 물었다.

"갈 겁니까, 여기에 머물겁니까?"

무슨 대답을 했는지 본인도 기억하지 못했다. 단지 내밀어진 손을 얼떨결에 잡았고 그게 죽음의 시작이었다.

박운이라는 책은 도서관 장서에 들어가지 못했다. 마르지 않고 번지고 흐르는 잉크를 보며 정원사 유팀장의 도자기처럼 잘빗어 놓은 하얀 얼굴에 금이 갔다. 그는 천천히 걸음을 옮겼다.

"아이고, 이거 기억이 사라졌네요. 요즘 계속 이런 일이 일어나네요."

젊은 남자 정원사가 말했다. 기억이 부족하면 보관할 수가 없다.

열 받은 팀장이 담당 저승사자와 도서관장에게 따졌지만 천이화라는 저승사자는 자신은 쓰여진대로 일했을 뿐이라

했고, 휠체어를 탄 관장은 자신도 당혹스럽다고 했다. 최근 들어 늘어난 오류로 근본부터 뜯기란 여간 힘든 게 아니었다. 책을 만드는 기억의 서술자는 바쁘단 말로 사건에 입을 조개처럼 딱 다물었다.

모든 건 제자리로 돌아와야 했다. 정원사는 이럴 때 숲에서 벗어나 움직일 수 있다. 사고가 나면 이 숲에서 가장 자유로울 수 있는 건 그들이기 때문이다. 도서관 관장은 직접 숲으로 올 수가 없어 이런저런 지시만 할 뿐이니 정원사만이 건으로 고생했다.

박운은 호기심이 어린 고양이 같았다. 옆으로 여러 장의 그림이 빠르게 흘러간다.

장면이 지날 때마다 재빠르게 다음 그림으로 교체됐다. 처음에는 사진인 줄 알았지만 유화 물감의 흔적이 보였다. 멍하니 잘 그린 그림을 보고 있으니 젊은 남자 정원사가 옆으로 다가와 슬며시 설명했다.

"기억을 저장하는 방식 중 하나에요. 너무 어렵고 손이 많이 가서 한 삶이 끝나고 여러 사람이 붙어 작업을 하죠. '애니메이션'이라고 표현하는데 모두 다 다른 그림들을 쪼개서 연속적으로 보여주죠."

"그럼 글로 쓸 필요는 없는 거 아닌가요?"

"아이고, 순진한 소리를 하네! 사람이 여럿 붙는 일을 작업하는 게 쉬워보이나요? 이 일을 하는 사람은 '서술자'라고 불리는 팀인데 거기서 그림만 작업하는 인물은 소수에 불과해요! 글도 손이 많이 가는데 연속적으로 그림을 그리는 게 쉬운 일이 아니죠! 그래서 특정 기억 중 일부만 작업하게 돼요. 유리 그 남자가 선별하는 게 여간 깐깐한 게 아니지만, 이런 영상을 남기는 이유는 크게 두 가지에요."

"아, 네."

굳이 설명하지 않아도 될 이야기는 계속 이어졌다.

"먼저 우리가 기억을 저장할 때 객관적인 부분과 주관적인 부분이 있어요. 뇌는 분석하고자 하는 경향과 제멋대로 왜곡하는 경향이 서로 싸우곤 하는 게 본능적으로 부딪히거든요. 그래서 직관적이지 못한 부분이 섞이고 섞여 오해가 생기죠. 그런 부분을 조금 더 균일하게 정돈하기 위해 그림으로 그리는 거예요. 대체로 이런 일은 개인의 마지막 영혼을 인도할 때 개인이 인지할 수 있도록 도와주는 용도죠."

박운은 인간의 기억이 왜곡된다면 도대체 어떻게 객관적일 수 있는 건지 의심됐지만 입을 다물기로 했다.

"두 번째로 기억을 복기하죠. 복기한다는 건 기억은 결국 사라진다는 거예요. 아무리 보관하려 해도 저장되지 못하고 낡아 사라지는 게 기억이에요. 그 기억이 완전히 사라지지 않도록 형상화하는 작업을 거쳐요. 거의 매일 수만 개의 기억이 사라지죠. 그게 무슨 뜻인지 아세요?"

"아니요."

"박운 씨처럼 기억이 증발한 책이 한두 권이 아니란 거예요. 그런 기억들이 만드는 오류는 굉장히 많고, 오류난 기억은 때우지 않으면 사고를 쳐요."

"저, 기억이 살아있다는 것처럼 들리는데요?"

"하하! 맞아요, 기억은 살아있어요!"

젊은 남자 정원사가 밝게 외쳤다. 박운은 뒤에서 유성임팀장이 그를 노려본다는 사실을 말해주고 싶었다.

"이곳 사서들은 훼손된 기억을 열람실에서 빼내 따로 보관하고 보존하다가 또 종이가 삭으면 새로 입력하는 일을 해요. 그렇게 다시 쓰인 기억은 이전과 다른 형태가 되죠. 옮겨진 기억은 어딘가 어색하고, 옮겨지기 전 책에 남은 기억은 사라지기 전에 마지막으로 발버둥을 쳐요. 살기 위해서요. 그런 기억들을 분류하고 지우는 게 이곳이 하는 일이에요. 그래서 이곳 기억의 정원, 기억의 도서관은 산 것과 죽을 것을 구분합니다."

그 말을 이해하려고 노력했지만 책으로 만든 뇌는 물에 젖은 것 같았다.

그러나 빠르게 기억이 살아있다는 걸 체감할 수 있는 시간이 왔다. 사라진 기억을 찾기 위해 도서관 밖으로 나간 것이다.

기억의 정원이라는 숲은 고요했다. 어두운 녹색 장막을 하늘 아래 뒤집어 쓴 것처럼 빛이 희미하게 들어왔지만 갑갑하게 느껴졌고 바람이 부는 데 을씨년스럽다. 귓가에 들리는 웃음소리가 바람인지 정말 사람인지 알 수 없었으나 기괴하게 참 고요하게 느껴졌다. 당신은 이 조용한 순간이 숨막혔고 고통스럽게 느꼈다.

"박운 씨."

검은 뿔테 안경을 쓴 정원사가 팔을 툭 치며 말을 건다.

"이 정원은 감정에 영향을 받습니다. 처음 오는 생명체에 반응을 보이는 것 같은데, 마음을 여유롭게 가지세요."

그 말이 더 살이 떨렸지만 안경을 쓴 정원사의 눈빛이 더 무서웠다. 이 숲을 관리한다는 건 위압감을 타고나야하는 걸지도 모른다는 쓸데없는 생각이 이어지니 갑자기 숨 쉬는 게 편안해졌다. 이번엔 남자 정원사가 말을 걸었다.

"우리는 계속 이곳에 있지 않아요. 다만 이 숲의 색을 기억하죠. 초록색은 심리적 안정감을 준다죠? 호흡을 기억하세요. 그래야 정확하게 기억해요."

"뭘요?"

그 말엔 대답 대신 부드러운 미소가 배달된다.

"당신의 나무에 기억의 결실이 제대로 맺혔는지 확인해보세요."

그가 몸을 돌렸다. 아까까지 보이지 않던 나무 한 그루가 눈에 들어왔다.

박운의 기억은 아주 큰 나무였다. 줄기는 한 아름에 들어왔지만 높아서 한참 고개를 들어야 했다. 앙상한 가지에는 작은 잎 몇 개가 달렸고 은색 실들이 불어오는 바람에 조금 흔들거린다.

"당신이 해야 할 일은 기억을 담는 일입니다."

유팀장은 커다란 나무 상자를 바닥에 내려놓았다. 박운은 상자를 뒤적거린다.

조향을 할 향이 담긴 유리병들과 아코디언, 맛을 내는 양념 통, 여러 색의 천 조각들, 국어사전과 공책과 펜 한 자루, 알 수 없는 하얀 작은 상자.

"기억이 많이 닳았네요."

남자 정원사가 건조하게 감상을 뱉고는 나무줄기를 만진다. 거침없는 손길을 따라 따뜻한 바람이 불었다.

"그럼, 이 나무에 달린 기억을 모두 담으세요. 그게 당신이 다시 살 수 있는 길이에요."

남자 정원사가 조용히 몸을 낮추며 속삭인다.

"살고 싶다고 하셨죠? 저희 팀장님은 저래 봬도 마음이 약한 분이세요. 당신 사정이 딱해서 도서관장님과 이야기를 나눴어요. 이 나무에 꽃이 한 송이라도 핀다면, 다시 본래 있던 곳으로 돌아갈 수 있어요."

"정, 정말요?"

"속고만 사셨어요? 제 말 믿어요."

남자 정원사가 다시 몸을 일으켜 세운다. 유성임은 라벤더 정원사가 사라졌다며 짜증을 내고 있다. 그 덩치와 눈에 띄는 머리색으로 잘만 사라졌다. 다른 정원사들은 보지 못했다 말하는 사이 멀리서 갈색 머리 인영이 나타난다. 온화한 얼굴임에도 모두가 질린 표정을 지었다. 누구냐고 묻기도 전에 남자 정원사가 그의 등을 두드리고 인영의 팔을 붙들고 다른 정원사들과 사라진다.

졸지에 혼자가 된 박운은 앙상한 나무를 응시했다. 거미줄 같은 실이 대롱대롱 달려있다. 그 중 하나를 손으로 잡자 끈적끈적한 액체가 달라붙었다. 얼른 손을 내빼자 실이 입을 다시듯 움직이다가 얌전해진다.

"그래서 어떻게 하는건데?"

그 답을 해줄 사람은 어디에도 없다.

라벤더는 몸을 일으켰다. 유성임도 보이지 않으니 딱 괜찮을 거라 생각했다. 눈을 감고 두 손과 두 발을 모두 축축한

흙 위에 두자 하얀 실이 그를 감싸고 순식간에 사라진다. 바람과 함께 다시 몸을 드러냈을 때 라벤더는 보라색 털의 고양이가 되었다.

보라색에는 노란색 털이 듬성듬성 보였다. 그는 앞발을 핥으며 주변을 훑은 뒤 자신 있게 나무 위로 올라갔다. 한참 이러 저리 돌아다니다가 박운의 기억 나무를 발견한다. 가지가 흔들리며 실 몇 개가 툭 떨어졌다. 박운이 고개를 들었다. 새까만 눈이 놀란 듯 보였다.

"야-옹."

"고양이네."

담백한 감상이었다. 오히려 꺼려하는 것 같기도 했다. 라벤더는 가지 위에서 쭉쭉 기지개를 편 뒤 앞발을 품에 넣고 앉았다.

"너, 그거 내 나무야. 저리가!"

나무 아래서 박운이 소리쳤다. 라벤더의 노란 눈이 깜빡이지도 않고 그를 본다. 당황한 얼굴이 이제 붉게 번졌다.

"이제 고양이까지 날 무시하네!"

"무시하는 게 아니다."

라벤더가 입을 열었다. 그러자 박운은 바닥에 주저앉아 입을 벌렸다. 라벤더는 가볍게 뛰어내린다. 소리 없이 떨어진 그가 부드러운 네 발로 총총 사람에게 다가갔다.

"왜 너는 슬퍼하지?"

"무, 무슨 소리야?"

"나무가 앙상하다는 건, 눌러놓은 감정이 많단 뜻이다. 가지에 은실이 있다는 것, 그것은 산 감정이 많다는 의미다. 마른데 비해 큰 것도 가진 기억이 많다는 것이다. 그럼에도 이 기억 속에서 너는 행복하지 않다."

라벤더는 더 다가가지도 않고 박운을 뚫어져라 응시한다.

"어린 인간아, 무엇이 두렵고 슬픈가? 너를 아프게 하는 것이 뭐지? 왜 너는 죽었지?"

라벤더는 항상 궁금했다. 인간은 왜 죽는 것일까? 지능이 높다는데 왜 몇 번이고 죽음을 향해 달려들까? 그래서 몰래 이렇게 사람을 찾아오곤 했다.

"……아니야. 나, 나는……. 죽기를 바란 적이 없어."

"거짓말이다. 넌 괴로워하고 있다. 뭐가 그리 두렵지? 여기는 널 해칠 것이 없다."

박운은 고양이의 말을 듣고 화를 내며 물뿌리개 내팽겨친다. 고양이는 잽싸게 몸을 피했다.

"네가 무슨 상관이야! 왜 너까지 여기 와서 시끄럽게 구는 거야? 당장 꺼져!"

라벤더는 우아한 몸짓으로 나무 앞으로 다가갔다. 신경 쓰지 않고 행동하는 모습에 박운의 시뻘건 얼굴이 더욱 빨개

졌다.

"꺼져! 꺼지라고!"

"인간은 알 수가 없군. 애정을 갖고 자신을 가꾸길 바라
지만 사실을 말하는데 어려움을 갖는다니."

어색한 말투가 갑자기 바뀌었다. 박운은 잠시 멈칫한다.

"너는 무언가와 싸우고 있어. 그게 무엇인지 너만이 알겠
지. 그걸 듣고 싶어. 뭐가 널 그렇게 힘들게 한 거야?"

마치 부드러운 봄볕 같은 목소리다. 애정이 담겼다. 정원
사들과 다르다. 박운은 멍하니 고양이를 본다. 제게 최면을
거는 것 같았다.

"자, 내가 아닌 네 나무를 봐. 가지에 걸린 실을 봐. 무
슨 색이지?"

"…… ."

"천천히 말해 봐."

"은색, 아, 아니야. 잘 못 봤어. 햇살에 반짝거려. 금으
로 만든 장식품 같아."

박운은 천천히 손을 뻗어 가장 가까이에 살랑거리는 실을
손으로 만졌다. 그러자 귓가에 웃음소리가 들리기 시작한다.
너무 놀라 몸을 뒤로 빼려하자, 고양이가 계속하라고 말하
며 그의 다리에 몸을 비볐다. 점점 소리가 커졌다. 누군가
의 목소리였다.

남자 정원사가 끄는대로 얌전히 움직인 누군가 느리게 입을 열었다. 따스한 음색이었지만 어투는 배배 꼬였다.

"자, 이 정도면 지나가는 쥐도 못 들으니 할 얘기 하시죠?"

남자는 얼른 손을 놓고 옷에 손바닥을 슥슥 닦고 물었다.

"요즘 미식가 붙들고 뭐해요?"

"무슨 소리죠?"

"조해진 너, 감추는 게 뭐야?"

유성임이 삐딱하게 서서 그를 올려다본다. 매서운 눈초리에 조해진은 어깨를 으쓱이더니 입을 삐죽였다.

"오랜만에 만나놓고 하는 소리가 그런 거야?"

"조 팀장님네가 꽉 잡고 있어 저희가 미식가를 못 만나잖아요. 미식가가 당신이 맡긴 일로 바쁘다고 안 만나준다고요!"

안경을 쓴 정원사가 따졌다. 그는 얌전히 팀장 말대로 입구에 있었다. 그러나 와야 할 인물은 나타나지 않고 조해진의 부하가 와서는 입구에서 알짱거리지 말라고 시비를 털었다.

소식을 들은 유 팀장이 와 상황을 정리하길, 입구에서 기억을 말려야 한다고 다른 정원사는 오지 말라는 거였다. 그 외에도 박운이 오기까지 필요한 과정을 제대로 거치지 못했다. 그 덕에 박운을 자신의 기억으로 데려가게 되었다. 원래라면 그대로 소멸됐을 텐데.

정원사들은 이런 상황을 좋아하지 않았다. 사고사로 죽은 쪽은 자연 소멸된다. 그런데 굳이 자살로 묶여 이 정원의 숲에 오게 된 것이다.

'그 뚱딴지가 딴지나거는 걸 봐선 수상하다고.'

조해진은 규율을 엄청나게 따지는 유성임과 달랐다. 팀원을 시켜 입구에서 긴 천을 말렸다. 굳이 입구에서 그럴 이유가 없다. 매일 새로운 글이 써지는 입구에 놓인 비석도 그 탓에 보이지도 않았다. 그 비석은 매일 서술자가 토의 끝에 달았다. 종종 사건의 실마리가 됐다. 와야 할 미식가도, 박운도, 비석의 글씨도 보지 못하고 쫓겨난 게 어이가 없다.

일을 여러 번 하는 걸 성가셔하는 그는 조 팀장을 흘겼다. 갈색 단발와 부드러운 갈색 눈이 따뜻했지만 어쩐지 숲처럼 깊이를 알 수가 없다. 태도는 불성실했고 말투는 빈정거린다. 잘 웃지만 그 외 표정이 보인 적이 없다. 어지간히 짜증내도 사람을 싫어하지 않는 유 팀장이 싫어하는 거의 유일한 인물이었다.

어디에선 조 팀장이 유 팀장을 엿 먹였다고 하지만 내막은
알 수가 없다. 오늘도 어김없이 열 받은 그의 팀장이 입을
열었다.

"입구에 그건 뭐야?"

"우리 프로젝트. 관장님이 맡긴 일이야. 우리는 시키는
일만 한다고."

"네가?"

그 말엔 많은 바가 함축됐다. 매일 이상한 곳에 드러눕고
있는 조 팀장은 신뢰가 바닥이다.

"네 구역에서 하면 되는 일인데 왜 거기서 하는데?"

"미식가가 온 대서? 그 사람이 오는 일이 적잖아. 한 번
다른 데로 빠지면 몇 달은 기다려야 해."

"그래서 굳이 우리가 올 걸 알면서 거기 있었다?"

"아니야!"

"아니긴 뭐가 아니야? 거기서 우린 박운의 기억을 받아야
했어. 미식가 바라가 반년에 한 번 꼴로 오는 건 알면서 그
자리에 버티고 있어?"

"오해야, 오해."

조 팀장이 설명하기를 그도 관장에게서 미식가에게 맡긴
기억을 받기로 했단다. 미식을 통한 기억 탐색은 직접적인
접촉을 통한 것이기에 기억을 맨손으로 만지는 일이다. 기

억이 맨살에 닿으면 감염 위험이 있다. 그래서 정말 세밀한 검토가 필요한 일에만 하고 정기적으로 단 한 개의 기억만 보러 왔다. 이번을 놓친 덕에 박운의 기억은 직접적인 확인으로 연기됐다.

"정원사는 개인의 기억을 직접 열람할 권리가 없지. 미안하게 됐어."

"그 덕에 우리 이용자가 자기 기억을 자기가 검토하고 있고."

정원사는 오로지 규격에서 벗어나는 기억을 관리한다. 직접 만지는 건 미식가와 서술자 말고는 관장 역시 허락되지 않은 일이다. 서술자는 기억을 쓰는 일을 하기에 연락을 넣고 일년 꼴로 만날 수 있는 위인이었고 미식가는 앞과 같은 이유로 만나기 어렵다. 매달 미식가가 기억에 전염되어 소멸되고 있는데, 새로운 미식가는 나오질 않아 단 한 사람 바리만이 존재했다.

"미식가가 새로 나와야 돼요."

남자 정원사가 지친 기색으로 물었다.

"왜 요즘 나타나고 있지 않죠?"

그의 시선이 조 팀장으로 향했다. 너 뭐 아는 거 있냐는 표정이다. 조해진은 고개를 흔들며 대답했다.

"절 의심해도 좋은 정보를 드릴 수 없네요. 서술자가 오히려 나서야는데, 그들은 늘 침묵만을 고수하니 우리가 이렇게 다투는 게 아니겠어요?"

"책을 열람할 수 없는 문제는 그들 탓이 아니야. 직접 만져 탈이 없는 사람이 없을 뿐이지. 네가 제대로 말하지 않는다면 위에다가 고발하겠어."

"미식가가 적은 게 내 탓이 아닌데."

"네 주둥이 문제지."

"흐흠, 화내지 말고 조향사한테 가 봐. 그래도 피부에 다른 것보단 직접 닿으니 기억을 염탐하기 좋을 거야."

"하, 우리 팀 소속 조향사가 누군지 알 텐데?"

"하하. 난 한줌씨가 좋더라."

"그 싹바가지 네가 데려가던가."

유 팀장이 그를 노려봤다. 모두 그를 좋아하지 않는 것 같다. 한줌 조향사는 굉장히 화가 많고 잔소리가 심한 사람으로, 심한 변덕쟁이다.

"아무튼 내 잘못 아니니까 화내지마! 앗, 난 이만 가볼게!"

한줌은 펜 끝으로 머리를 긁적이며 성임의 이야기를 들었다.

"당신네 정원사는 왜 이렇게 사고를 친대요?"

"우리가 친 거 아냐! 망할 인도자 녀석들이 친 사고라고! 저승사자고 차사고 나발이고 짜증나는 것들이야."

성임은 혀를 끌끌 찬 뒤 한줌이 만든 향을 맡고 한 걸음 뒤로 물러났다.

"왜 그래요?"

"너무 향이 강해. 도대체 무슨 기억이야?"

"새로 만들었죠. 어긋난 기억은 참 독특한 향수를 만들어요. 모순된 기억을 가진 향수죠. 제 17구역 송 팀장님이 주고 갔답니다. 역시 이런 향은 다루기 까다로워요. 기억은 참 섬세하다니까요?"

"됐고. 너 찾을 땐 안 보이더니 어딨었어?"

"제 사생활은 신경 쓰지 마세요. 일단 부탁한 기억은 뭐죠?"

유 팀장은 도서관에서 가져온 박운의 책을 내밀었다. 그걸 시향지에 비비고 코 밑으로 가져간 한줌은 두 눈을 감고 천천히 음미한다. 날카로운 얼굴이 잔뜩 구겨지다가 곧 깔끔해진다.

"이건......조향사 영역은 아니네요."

"뭐?"

"소리치지 말고요. 향이 너무 옅어요. 많이 날아갔어요.

51

조향은 휘발성이 높잖아요? 당연히 이런 기억은 제가 못 다루죠."

"조향사가 이걸 못 해?"

"자기 담당 기억도 못 다루는 분께 듣고 싶지 않네요."

한줌이 팔짱을 꼈다. 유 팀장은 그를 노려봤다.

"다른 팀이 준 기억은 갖고 놀면서 왜 못한단 거야?"

"조향해봤어요? 안 해봤죠? 하루종일 시향지에 코 박고 사는 게 얼마나 하는지 모르니 이러지!"

한줌은 정원사의 무심함에 치를 떨었다. 유성임은 조금도 신경 쓰지 않았다. 받아주면 끝을 모르는 한줌은 너무 예민했다.

"조향의 '조'자도 모르는 분들은 따지지 말고 돌아가 주시죠?"

"얼른 분석해."

"시향을 할 수 있어야 하죠! 정말! 누구는 몸이 여러 갠 줄 알아요? 제가 신이라도 돼요? 이 사람이 진짜! 사람을 보자보자하니 보자기로 아네!"

한줌은 따박따박 말하고는 책을 다시 넘겨주며 문전박대한다.

"몽상가한테 가던가요!"

"걔네야 말로 이런 거랑 관계없잖아!"

"저하고도 관계없습니다!"

조향사에게 쫓겨난 정원사들은 조향사의 작업실 앞에서 옹기종기 모여 머리를 모았다.

"라벤더 연락은?"

"안 받아요."

"아니 근데 쟤 왤케 화가 났어요?"

네 사람은 속닥거리다가 슬쩍 조향사의 작업실 창문을 본다. 그는 바쁘게 시향하며 다음 기억을 구현하고 있다.

여러 기억이 담긴 병은 각각 같은 사람의 기억을 분류한 것이다. 색도 향도 달랐다. 거기에 가장 기본적인 감정의 향을 첨가한다. 감정의 향은 그간 모든 기억을 분류해 색출한 향이었다.

무게에 따라 기억이 변하기 때문에 일일이 저울로 재가며 향을 조절하는데 화가 나거나 불쾌한 기분의 감정은 악취가 났다. 그에 반해 기분 좋은 기억은 향기롭다. 그 배율과 기준은 조향사만이 알았다. 조향사는 모든 기억을 냄새로 분류하는 능력을 가졌고 그들이 분류하고 만든 기억이 기억을 완성했다.

조향사 한줌은 각 팀 조향사 중 가장 능률이 좋은 사람이다. 그만큼 예민하고 까다로웠다. 매일 다른 팀에서 넘어오는 일까지 받으니 말이다.

유성임은 그 상황을 내켜하지 않았다. 애당초 맞지 않는 사람과 일 하지 않으려는 팀장 덕에 이쪽 일이 조향사에게 가지 않는 거였다. 조율사에게 주로 기억을 맡겨온 유성임은 한줌에게 늘 쩔쩔맸다.

온종일 냄새만 맡는 조향사를 보며 한숨을 쉰 팀장이 드디어 입을 열었다.

"난 일단 라벤더를 찾을 테니, 너희는 조율사한테 가봐."

"율이 바쁘던데요?"

"맨날 저희가 업무를 줘서 쉬지도 못 해요."

"아동 학대에요."

"......"

신입 정원사는 입을 꾹 다물었다. 다른 두 사람이 말대꾸를 하며 조율사는 과로라고 주장을 펼쳤다.

조율사 송은율은 조용하고 소극적인 10대 청소년이었다. 부탁을 거절못하고 주는 대로 받는 덕에 다른 정원사들이 일을 돕고는 했다.

박운이 들었다면 잠자며 일하는 게 좋지 않을까 하겠지만 이곳에서 수면은 쉬지 않고 제자리를 뛰는 일이다. 그러니 모두가 내켜하지 않았다.

아무튼 유 팀장은 누군가를 몽상가에게 보내고 싶었지만 누구도 가고 싶어하지 않을 거라 생각해 입을 다물었다. 자기 역시 몽상을 하고 싶지 않았다.

 녹음이 가득한 숲에는 다양한 꽃이 핀다. 아침 이슬을 잔뜩 머금은 야생 꽃들 사이로 한량한 그림자가 불쑥 나타난다. 부드러운 갈색 단발에 깔끔한 눈매의 청년은 콧노래를 흥얼거리며 들꽃 위로 쓰러진다. 바스락거리는 소리와 뒤이어 부는 바람과 새소리에 개암을 닮은 가로로 긴 눈이 넓은 녹음 하늘을 바라봤다.

 "아이고! 저기 있구먼! 내가 진짜 내 상사만 아니면!"
 평온한 시간은 딱 알맞게 깨진다. 부스스한 검은 머리를 손으로 쓸어 넘긴 남자는 체격이 무척 크고 단단해 보였다.

 "해진 님, 제가 누누이 말씀드리지만, 제발 아무데나 눕지 말고, 일 좀 하라고요!"

 "흐음, 여기 새가 있어요. 기억이 먹지 않게 지켜보려는 거예요. 현달 씨도 저처럼 저 새가 어디로 가는 지 지켜보도록 해요."

 "필요 없어요! 우리 일은 새가 먹히나 안 먹히나 보는 게 아닐 텐데요? 옆 팀엔 신입이 들어왔다는데, 우리는 이게 뭐예요!"

 "아, 성임이네 말이죠? 그 애는 항상 열정적이에요. 가만

보고 있으면 기운이 어디서 나는지 모르겠더라고요. 아, 맞아. 우리 팀 하늬 씨는 서술자 여름 씨와 애기 중인가요?"

"뭐, 그렇죠. 아니, 그게 뭐가 중요해요! 항상 있는 일인데! 우리 팀장님이 워낙 혈기 넘치시고 반복되는 걸 지겨워한다지만 일 좀 하라고요!"

"이런! 절 오해라고 계세요."

해진이 눈을 동그랗게 떴다. 그 덕에 평소에 보이지 않던 쌍꺼풀 자국이 살짝 도드라졌다. 그 모습에 현달은 어디 더 말해보라는 듯이 허리에 양손을 얹었다.

"전 이 일을 무척 좋아해요. 그리고 늘 일어나는 일상이야 말로 긴장을 놓쳐선 안 되는 순간이죠. 오, 그래요. 현달 씨, 성임이에게 가서 도와줄 게 없는 지 물어보고 와요. 잃어버린 기억들을 찾는데 분명 힘이 부칠 테니까요."

그 말에 현달이 기겁했다.

"우리 일도 바쁜데 남의 일 돕겠다고요?"

"서로 돕고 살라 만들어진 게 사회고, 팀이죠. 당신 말대로 늘 있는 일상인데 뭐가 문제인가요?"

현달은 무슨 말을 하려다가 혀를 쏙 집어넣었다. 괜히 말을 더 어울리다간 자신이 기절하고 말 거란 직감이 들었다.

"팀원들을 모두 한데 모아야겠군요. 하늬 씨가 오면 민지 씨와 효율 씨도 불러야겠어요. 두 분은 각자-."

"조율사 율 씨와 조향사 한줌 씨 쪽에 있죠."

"그래요. 좋아요. 그럼 다 모이면 이야기를 시작하자구요."

그 전까지 저 작은 새가 어찌 도망가는 지도 보고. 그렇게 말을 마무리 지은 해진은 콧노래를 이어 불렀다. 작은 갈색 새가 나뭇가지 사이를 열심히 오가고 있다. 나뭇잎이 만드는 그늘 사이로 시커먼 손들이 아무데서나 튀어나온다. 새를 잡으려는 듯이 높이 뻗어가고 작은 새는 정신없이 더 높이 날아간다.

"현달 씨는 어떻게 생각해요?"

".....잡히겠죠. 우리가 돕지 않는다면."

"그럼 당신은 어떻게 할 건가요?"

"......."

현달은 입술을 잘근 깨물었다. 그리고 곧 검은 소매에서 여러 개의 종이학을 꺼냈다. 그가 입김을 후 불자, 종이학들이 일제히 작은 새에게로 날아갔다. 용맹한 학들이 나타나자, 그림자들은 허겁지겁 도망가기 시작했다. 그 사이 작은 새가 숲 밖으로 푸드덕 떠나간다.

"만족하십니까?"

"그건 스스로에게 물어야죠."

해진이 부드럽게 웃었다. 퉁명스러운 부하 직원은 머리를 다시 뒤집어 읽으며 꽃밭에 주저앉았다. 따뜻한 바람이 둘 사이로 들어왔다.

"기억이요?"

조율사 송은율은 눈을 크게 떴다. 창백한 얼굴을 한 그는 젖살이 채 빠지지 않은 영락없는 어린이였다. 정원사들은 가장 만만한 막내에게 무릎을 꿇고 말했다.

"박운이라는 사람의 기억이 사라졌네요!"

"조율사인 네가 좀 찾아주면 좋겠어."

"난 피아노 소리가 좋아!"

신입 정원사는 자신의 선배들이 부끄럽다. 은율은 렌치를 만지작거리며 눈알을 굴렸다. 신입 정원사는 또래에게 동질 감을 느끼며 붉은 옷소매를 괜히 쭉쭉 폈다.

"소리 나는 것 좀 빌려줘."

뿔테 안경을 쓴 정원사가 당당하게 요구했다.

"하, 하지만."

"뭐가 문제인데?"

"여, 여러분께 드리면, 느, 늘 망가져서······."

세 사람은 동시에 입을 딱 다문다. 은율의 작업실은 온통 악기와 악보, 소리 나는 온갖 형태 물건들이 존재한다. 메

인은 새하얀 피아노다. 피아노도 전자용이 있고 풍금, 오르
간도 있다. 종류별로 정리해두고 그 위에는 그리다만 악보
나 조율 중인 악기가 놓여져있다. 전체적으로 조향사보다
크고 높았다.

"이, 이미 자리를 떠난 기억은 조율하기 어려워
요........"

은율이 조용히 입을 열었다.

"소, 소리의 기, 기억은 놓치면 다, 가서 들을 수 없어
요."

그는 손가락으로 애꿎은 렌치만 잡으며 천천히 말을 잇는
다.

"조, 조향이나, 미, 미식같은 화학 작용으로 만든 기, 기
억은 쉽게 왜곡되는 대신, 잔여돼요. 그, 그런데 소, 소리
의 기억은 노, 놓치면 안 돼요. 다시 되감아야 해요."

그는 주머니에서 아주 작은 측음기를 꺼낸다. 오직 조율사
만 가진 것은 소리의 기억을 세밀하게 측정하게 만들었다.
시간은 되감을 수 없으며 시간을 쪼개더라도 다시 시작할
수 없다. 실패한 소리는 실패한 기억이 되어 사라진다.

은율은 작은 눈을 굴리다가 오르골을 하나 건넸다.

"이게 뭐야?"

"기, 기억이란, 되감는 것이에요."

어린 조율사가 만든 건 동그란 구 형태였다. 그냥 두면 굴러갈 것 같이 어떤 안전장치도 없다. 은율은 잠시 말을 멈추더니 갑자기 눈을 크게 뜨고 고개를 빳빳하게 들었다.

"지금 당장 제가 해드릴 수 있는 건 그것뿐이에요. 모든 기억의 시작은 같아요. 그건 '처음'을 담았어요. 그 사람에게 주세요."

말을 더듬지 않고 길게 말하는 건 처음 봤다. 모두 입을 벌린 채 그를 보자, 악보를 잔뜩 들고 도망쳐버린다.

성임은 라벤더를 찾아 소매에서 종이를 꺼내 비행기를 접어 하늘에 날렸다. 하얀 비행기는 제자리를 빙글빙글 돌다가 한 방향으로 날아갔다. 성임은 그 아래를 쫓아갔다.

비행기가 향한 곳은 박운의 기억 나무다. 앙상한 나무에 걸터앉자, 성임은 그 자리에 멈춘다. 반짝이는 은실이 춤을 추고 있다. 그리고 그 밑에 두 사람이 있다. 라벤더와 박운.

성임은 두 눈을 찡그렸다. 라벤더는 항상 제멋대로지만 할 일을 두고 다른 일을 하지 않았다. 그렇다면 무슨 일이 생긴 걸까? 바로 보고 하지 않는 거라면 이유가 필요했다.

규율에 집착하는 성격 때문에 팀장이 됐다. 도서관 관장은 그가 충분한 자질이 있다고 했지만 성임은 그렇게 생각하지 않았다. 이런 귀찮은 일을 맡길 사람이 자신밖에 없는 것이다.

 기억의 정원사는 명예롭지 않았다. '기록자'인 서술자, 조향사, 조율사, 몽상가, 미식가는 저승사자처럼 생전의 일을 검사받고 배치된다. 보통 그들은 사회에 큰 영향을 끼쳤다. 저승사자 천이화는 빼앗긴 나라를 되찾기 위해 싸웠으며, 조율사 송은율은 어리지만 음악적 재능을 세계에 알렸다. 그런데 정원사는? 악질적인 신의 벌이다.

 기억의 정원사는 생애를 포기한 사람만이 얻는 자리다. 어떤 형식으로든 자신의 삶을 포기한 사람은 자신의 기억이 온전히 소멸할 때까지 이 숲에 묶여야 한다. 그러니까, 기억이 손상된 상태의 박운은 이 숲에 묶이고 말 것이다.

 성임은 마른세수를 하며 숨을 크게 들이마셨다. 모든 걸 제자리에 둬야만 해. 각자에겐 걸맞는 위치가 있는 법이다. 자신처럼.

라벤더는 작은 앞발로 향초 하나를 가리켰다. 박운이 향초 하나에 불이 붙는다. 처음엔 박하향이 났다. 상쾌한 향이 사방으로 뻗어가며 주변의 풍경도 보이기 시작한다. 저 멀리 갓 태어난 울음소리가 한번 들리고 이윽고 분유와 파우

더, 섬유유연제 냄새가 퍼졌다.

아이들이 웃는 소리가 꺄르륵, 댕댕 자전거 종소리가 울린다. 먼지와 흙냄새, 봄내음이 맡아진다. 자전거를 연습하던 아이는 몇 번이고 넘어진다. 다른 아이들과 어울리지도 못하고 가족 누구 하나 없이 홀로 자전거를 탄다. 몇 번이고 넘어지고 기어코 상처 난 다리로 박차고 자전거를 움직인다. 앞으로, 앞으로.

이번엔 달콤한 냄새가 난다. 작은 생크림 케이크. 딸기가 잔뜩 얹어져 맛있어 보인다. 그러나 아이는 울고 있다. 부모는 화를 낸다.

'도대체 친구가 한 명도 없다니 머리에 문제 있는 게 아니야?'

'생일 파티에 한 명도 안 데려오다니. 준비한 거 다 어쩌나!'

'내가 정말 창피해서. 넌 뭘 잘 했다고 울어!'

달콤하지만 안개 냄새가 났다. 축축한 느낌이 옷을 적시는 것 같았지만 보송했다.

이번엔 귤향이 났다. 교복을 입은 단정한 여자 아이가 그에게 귤을 까준다.

'혼자 먹지 말고 나랑 먹자! 어차피 나도 혼자야!'

귤향이 깊이 곁을 맴돌았다. 급식에 나온 작은 귤을 아껴

두고서 아무것도 먹지 않은 반 친구에게 건넨 그 애 이름은 과일 이름을 닮았다. 친절한 아이는 항상 그의 손을 놓지 않았다.

그러나 우리는 때론 가장 최선이 될 것 같던 걸 잃는 순간이 온다.

'이번에 새로 사귄 친구야!'

귤을 닮은 아이가 데려온 애는 인상이 날카롭고 상냥해 보이지 않았다. 뮤표정을 일관하는 그를 처음 봤을 때 어쩐지 할머니 이불을 뒤집어 썼을 때와 같은 기분을 느꼈다. 어쩐지 익숙하고 포근한 향이 안정감을 안겼다고 박운은 추억한다.

순간 하얀 세상을 봤다. 머리 위도 발아래로 사방이 온통 하얗다. 멍하니 그 하얀 공간을 바라보고 있자니 귀에 이명이 들리는 것 같다. 여긴 어디지? 혼란에 빠졌다. 이명은 점점 커졌다. 웅웅거렸던 진동은 이내 음성으로 변했다. 그러자 하얀 공간이 빠르게 돌아갔다. 그의 앞에는 아주 작고 빨간 아기가 보였다.

"아주 건강한 아기가 태어났어요! 산모님, 안겨드릴게요."

아기는 눈도 뜨지 못했다. 밝은 빛과 알아들을 수 없는 소리에 놀란 듯이 크게 울음을 터뜨렸다.

다시 시야가 일그러진다. 책장이 넘겨지듯 빨간 아기가 사라지고 노란 옷을 입은 아기가 막 걸음을 떼는 게 보였다. 젊은 남녀가 카메라를 들이대며 밝게 웃었다.

그다음 페이지로 넘어간다. 노란 가방을 든 아이가 노란 버스를 타고 또래 아이들과 작은 어린이집으로 향했다. 그러나 아이는 또래와 어울리지 못한다. 장난감도 뺏기고 밀쳐지다가 막 태어날 때처럼 울었다. 울음은 커지고 또 페이지가 넘겨진다.

이번엔 초등학교에 들어갔다. 이번에도 아이들과 어울리지 못한다. 친구 한 명 없다. 태권도 학원과 영어 학원을 다녔다. 검은 띠를 받아도 소심한 성격은 변하지 못했다. 영어도 따라 말하지 못하고 입안에서 웅얼거리다가 말았다.

따돌림을 당하고 여러 번 부모가 학교에 찾아왔다. 가해자 부모는 뻣뻣하고 뻔뻔했다. 소심한 아이 탓을 하고 억울한 부모는 자녀 탓을 했다. 부부가 싸우는 날이 잦아졌다.

교복을 입고 중학교에 들어가선 또래 친구 한명을 사귄다. 예쁘게 생긴 그 애는 성격도 좋았다. 아이가 굳이 말하지 않아도 저가 떠들고 웃었다. 무얼 해도 같이 다녔다. 함께하며 즐거웠다. 단짝이라고 생각했다. 늘 같이 등교하고 점심을 먹고 쉬는 시간마다 도서실에 들어가 책을 읽고 산책을 하고 매점에서 불량식품을 먹었다. 학원을 가야해서 같이 하교는 못했지만 단 둘뿐이라고 즐거웠다.

그러나 일 년이 지나고 학년이 올라가자 친구는 새로운 단짝을 찾았다. 옛 단짝이 반에서 어울리지 못하고 찾아와도 달갑게 받아줬지만 새 친구와 떠들고 함께 점심을 먹고 같이 보내던 시간을 나눈다.

그렇게 또 일 년, 마지막에는 그 친구가 전학을 갔다. 울면서 직접 편지를 써서 가장 아끼는 책과 함께 줬고 그는 웃으며 작별 인사를 했다. 마지막 해에 단짝의 친구와 어설픈 관계를 유지하다가 졸업할 즈음엔 인사조차 나누지 않게 됐다.

고등학교는 멀리 갔다. 최대한 멀리. 동네에서 벗어나고 싶었다. 낯선 곳이 익숙한 곳보다 좋을 리 없었지만 고향에 애정이 있지도 않았고 친구도 없었다. 이미 틀어 질대로 틀어진 부모는 자식이 어디로 가든 상관하지 않았다. 학원이나 더 보냈다.

고등학교에 들어가며 그다지 친하지 않았지만 나름 어울리는 무리가 생겼다. 다섯 명이서 다녔지만 어쩐지 짝수가 되면 뒷담화를 아끼지 않았다. 그래도 혼자가 아니니 상관없었다. 같이 공부하고 쉬는 시간에 떠들기도 하고 시험에 머리를 싸매고 고통스러워한다. 그런 일상이 평범하게 이어졌다.

대학은 잘 가지 못했다. 성인이 되자마자 최대한 집에서 멀리 떨어진 학교로 가고 싶었지만 자취도 기숙사도 반대한 탓에 가장 통학하기 괜찮은 대학교를 찾았다. 그마저도 남들이 잘 모르는 이름이라, 어느 대학교를 다니냐고 물어도 선뜻 대답하지 못했다.

그곳에서도 조용히 지냈다. 전공마저 설명하기 애매한 그런 곳이었고 애매하게 어른이 된 동기들과 어울리려 노력했다. 술도 마시고 통금 시간을 넘겨 집에 들어가기도 했다. 싸우고 움츠리고 또 싸우고 부모와 점점 더 멀어진다.

졸업할 즈음엔 박차고 집에서 나왔다. 돈도 없으면서 꾸역꾸역 집을 나와 기숙사를 제공하는 공장에 들어갔다. 공장에서 단순 업무를 했다. 꼬박꼬박 돈도 잘 주지 않았고 나이 든 아주머니가 짓궂은 농담을 했지만 그냥 웃어넘겼다.

공장에서 일하다가 돈이 좀 모이자, 경기도 구석에 작은 집을 하나 구해 혼자 살았다. 좁은 방에 몸을 웅크리고서 숨을 쉬는 게 편안하진 않았다. 근처 편의점과 피시방 아르바이트를 하며 생계를 유지했다. 괜찮은 사무직도 알아봤지만 매번 자신감 없는 얼굴의 그를 뽑아주는 곳이 없었다.

시간이 흐를수록 자신을 더욱 잃어갔고 웃는 법을 잊었다. 점점 그는 작은 방에서 움직이지 않게 됐다. 편의점도 피시방도 그만 두고 더 이상 낼 월세금도 없어지자, 그는 집을 정리하고 밖으로 나갔다. 담배 하나를 입에 물고서 크지 않은 캐리어 하나를 질질 끌었다. 근처에는 강이 있었다. 멍하니 응시하던 그는 결국 핸드폰을 꺼내 누군가에게 메시지를 보냈다. 연락이 끊긴지 오래 된, 중학교 시절 친구였다. 그리 친하지 않고 어색하던 사이. 답장은 의외로 빨리 왔다. 번호가 변하지 않았다.

라벤더는 할머니를 잘 알지 못했다. 그래서 공감할 수 없었다.

이제 마지막 향만 남았다. 조향사 한줌의 끝향은 늘 오래 머문다. 물 냄새가 났다. 정확하게 비가 내린 뒤 화창한 아침 같다. 어쩐지 춥고 어쩐지 눈부신 향이 머릿속에 그려진다.

'우리 집으로 와.
주소지: 서울시 강북구 미아리 00번지 301호
하나은'

강한 인상의 소녀는 무심하지만 따뜻한 어른이 되었다. 나은이에게 가야했는데. 박운이 중얼거렸다. 라벤더는 그가 '더럽게' 운이 없다고 생각했다. 세상은 아직 그에게 다정했다.

초심에 불이 사그라진다. 촛농이 동그란 홀더에 고였다. 박운은 멍하니 떠도는 향을 바라봤다.

'나는.......아직 살고 싶어.'

그렇게 말하는 것 같았다.

"살려줘요,"

박운이 떨리는 목소리로 말했다.

"제발 살려줘요,,,,,,,, 나은이게게 가야해요, 고맙다고
말해야돼요,"

박운은 눈물을 흘렸다. 고개를 숙이고 숨을 헐떡였다. 떨
리는 어깨를 누구도 감싸주지 않았다. 그리고 초침 소리가
크게 들렸다.

째깍.

".......의식 해제."

그가 조용히 입을 열었다. 어느새 손에는 작은 종이 들렸
다. 그 종이에는 읽을 수 없는 글자가 가득했다.

"그, 그건?"

"당신의 책."

라벤더는 무엇인가 고민하더니 입을 열었다. 이제 조향사
에게 가장 중요한 걸 얻자고 했다. 그게 뭐냐고 묻기도 전
에 답은 제발로 찾아왔다.

"응?"

조향사 한줌은 일일이 종이에 코를 박다가 다른 향이 섞이는 걸 느꼈다. 고개를 번쩍 들고서 고개를 홱 돌리자, 아까 박운이라는 인간의 시향지에서 깊은 향이 나고 있었다. 한줌은 조심스럽게 손을 뻗었다. 박하향이 났다. 더 깊이 들이쉬자 신선한 귤향이 느껴졌다.

 "탑노트는 '비누' 향인 것 같은데 어느 쪽이지? '미들'은 '박하'고 '베이스'는 '오렌지'랑 '귤' 중 어느 쪽?"

 그는 빠르게 머릿속을 더듬었다. 손끝으로 밀며 시트지를 찾았다.

 "'화이트 우드'도 섞였어."

 그는 눈을 뜬다. 검은 눈이 예리하게 반짝였다. 그는 공책을 펼쳐 연필을 납작하게 눕혀 빠르게 적는다.

 "'치기어린', '허세', '외로움', '재기발랄', '공허'. 아니야. 다시. '치기', '허풍', '고독'. '활기'. '꿈'......"

 한줌은 머리를 연필로 긁적이다가 옆에 둔 수화기를 들었다. 빠르게 번호를 누르고 귀와 어깨로 수화기를 바치고 손은 빠르게 메모를 이어갔다.

 "음, 여보세요? 지수 씨, 박운이라는 사람 어딨어요? 네, 제가 뭘 좀 발견해서요."

한줌이 얻은 기억은 '친구'라는 향으로, 무향이다. 유성임이 의아해하자, 그는 향도 못 맡는다고 투덜거렸다.

"'무향'이라면 당연히 섞이는거죠. 뭘 그리고 생각해요? 일 안 해요?"

유성임은 뿔테 안경을 쓴 정원사가 내미는 무향초를 들고서 라벤더와 박운에게로 갔다. 라벤더는 그에게 책을 내밀고 있었다.

"뭐야?"

성임이 고운 눈썹을 찡그리자, 라벤더는 조용히 뒤따라오는 신입 정원사의 손에 든 구를 가리켰다.

"'처음'으로 돌아가야한다."

"아, 이거 알아요?"

남자 정원사가 물었다. 라벤더는 대꾸하지 않고 성임의 손에서 향초를 가져가 박운의 손에 쥐여줬다.

"이제 당신이 할 일을 알고 있다."

"이, 이걸로요?"

라벤더가 고개를 끄덕였다. 향초에 불을 붙였다. 아무런 향이 나지 않았다. 하지만 미세하게 귤향이 느껴진다 생각해 고개를 들자, 기억의 나무에서 꽃잎이 느리게 바람을 타며 떨어졌다.

라벤더가 그의 어깨를 잡는다. 돌아보자 검은 책을 내밀었다.

"당신의 세계를 대여하시겠습니까?"

그가 손을 뻗었다. 지문이 묻어나는 책 표지에 손을 닿자, 따스한 바람이 불었다.

조해진은 정원 입구에 가까운 어느 강에 도착했다. 안개가 낀 강은 크고 검었다. 끝을 알 수 없이 깊고 긴 강물이 흐르는 소리를 가만히 들으니 멀리서 또 다른 그림자를 발견한다. 저승차사 중 하나인 백도움과 그의 팀원이다. 또 다른 무리에는 정원사 유성임이 팀장으로 있는 3팀이었다. 그들은 무슨 말을 주고받다 조해진을 보고 걸음을 멈췄다.

"안녕~"

해진이 가볍게 인사하며 통통 뛰어왔다.

"여긴 무슨 일이야?"

"정원사가 굳이 여길 오는 이유가 더 뭐가 있겠어?"

유성임이 어깨를 으쓱이며 대답했다. 그는 작은 오르골을 꺼냈다. 조율사가 만든 물건이었다. 저승차사와 정원사는 만날 일이 드물었다. 대부분 기억의 문제가 있거나 혹은 여기 <미련의 강>에서 함께 마지막 기억을 보낼 때 만났다.

<미련의 강>의 또 다른 이름은 <미래로>이다. 영혼은 기억

이 닳을 때까지 유지되며 타인의 기억 속에서 완전히 사라지면 마지막 기억만을 담기고 소멸한다. 그 마지막 기억을 이 강에 흘러 보내면 완전히 자연과 함께 소멸되어 그 삶이 끝난다. 만약 강에 보내지 않는다면 어떻게 변할지 모를 일이다. 기억은 미련하다. 끝을 바라지 않는다. 잊으려할수록 사람을 괴롭히고 잊을수록 근질거린다. 그렇게 사람은 망가진다. 얼마나 슬픈 일인가.

정원사들이 각 기억의 마지막 순간을 들고 오면 차사들이 그것을 강에 흘러 보낸다. 그 간단한 행위를 하는데 온 동네 사람들이 모이는 건 하나의 기억에도 많은 기억이 살아나기 때문이다. 그 기억이 사람을 얼마나 잡아먹는지 남은 모를 일이지만.

해진은 어쨌든 상관없었다. 자신이든 향초를 차사들에게 줬다. 팀원 없이 단독으로 다니는 사람은 조해진뿐이었다. 이 숲에서 단독행위를 한단 건 기억의 침식이 쉽다는 걸 의미했다. 그러니 혼자 다니는 조해진이 아무런 이상이 없단 건 그만큼 전문적이거나 기억조차 그를 삼킬 수 없을 만큼 강렬한 감정이 존재한다는 걸 의미했다.

조해진을 아는 사람은 없다. 잘 안다고 할 수 있는 사람이 없다. 그는 상시 웃었고 노래를 부르며 떨어진 나뭇자기를 주워 춤을 췄다. 알 수 없는 행동에 누군가는 눈살을 찌푸리고 또 누군가는 재밌게 생각했다. 어찌됐든 그 모든 것을 더해 그는 참 독특한 사람이었다.

해진은 향초를 받은 천이화 팀장을 봤다. 그의 단아한 얼굴이 조금 안타깝단 표정을 스쳤다가 부는 바람 하나에 사라졌다.

박운의 작은 꽃이 달린 나뭇가지가 한줌의 향초에 타들어간다. 신선한 귤 냄새가 난다. 뿔테 안경을 쓴 정원사는 옆에 선 라벤더를 응시했다. 무슨 일을 한 건지 모르겠다. 찾았을 때, 박운은 멍하니 나무를 바라봤고 아주 작은 귤꽃이 흔들렸다.

"어떻게 한 거예요?"

누군가 라벤더에게 묻는다. 그는 아무런 말없이 불이 붙은 꽃이 강에 흘러가는 걸 응시했다. 불꽃이 꺼질 때까지 한참을 바라본다.

"........재밌네요."

조해진은 떠나는 일을 배웅하며 미묘하게 웃는다.

"결국 누구도 이 일이 어떻게 된 건지 모른단 거죠?"

"한줌 조향사가 갑자기 끝내주는 힘을 발휘했나보네요."

뿔테 안경을 쓴 정원사가 뚱하니 대꾸했다. 그의 시선은 미묘한 미소가 걸린 해진에게 향했다.

"이렇게 보니 더 수상한데, 미식가와 무슨 이야기를 나눈

거죠?"

"그보단 이 잠깐 사이에 어떻게 사라진건지가 더 궁금하네요."

"저승사자에게 이름이 적히고 기억상실로 본인조차 의지할 수 없는데도."

저승사자 대표 천이화 팀장이 낮은 목소리로 말했다. 라벤더는 고개를 갸웃거렸다.

"해결되면 그만 아닌가?"

"순진해라. 라즈베리 벤 다즐링. 이게 넌 우스운 상황인가 봐?"

라벤더는 정말 이해할 수 없다는 듯이 고개를 치켜들었다.

"말도 안 되는 죽음을 준 네가 할 소린 아닌 것 같다. 난 그가 잘 돌아갈 것이라 생각한다. 그의 생은 제자리에 돌아갈 것이다."

정말 그거면 됐다는 얼굴이다. 천이화는 잠시 그를 응시하다 시선을 치우며 몸을 돌렸다. 깃대에 하얀 깃발이 묶여있다.

"아직 일이 끝나지 않았어. 다들 제자리로."

천이화 팀장의 말이 끝나자 모든 부서 사람들이 제자리로 돌아갔다. 어린 정원사만이 아주 잠시 흐르는 강에 시선을 둘 뿐이었다.

박운이 눈을 떴을 땐 더러운 바닥이었다. 물에 젖은 흔적은 없이 언덕에서 굴러떨어져 피가 흐르는 무릎만 있었다. 그는 잠시 멍하니 하늘을 올려다봤다.

"⋯⋯⋯꿈을 꿨나?"

정확히 생각나지 않는다. 그러나 왠지 마음이 편안했다.

"지잉."

바닥에 떨어진 핸드폰이 울었다. 깜짝 놀란 박운이 손을 뻗어 화면을 본다. 친구의 문자가 도착했다. 마중 나오겠단 말이다. 그는 눈을 비비고 바닥을 구르는 짐을 주웠다. 그리고 가벼운 발걸음으로 뛰었다. 다리가 아프지 않았다.

친구의 집에 살며 그는 편의점 아르바이트와 야간 학원을 다녔다. 조향은 너무 어려워서 몇 번이고 포기하고 싶었지만 완성된 향을 맡으니 기분이 좋아졌다. 향초를 잔뜩 들고 친구에게 주면 매정하게 고개만 까딱이고선 여기저기 향초를 쌓아두고 매일 다른 향을 피웠다.

박운은 조향을 배웠지만 그쪽으로 가진 못했다. 평범한 회사에 사무보조로 일했다. 그러면서 틈틈이 사업 계획서를 작성했다. 1인 회사가 오래 가기는 어렵다고 하지만 실패해도 좋다는 생각이 들었다.

또 그는 연애도 했다. 처음은 두려웠지만 회사 동기의 소개로 만난 사람과 마음이 잘 맞았다. 입맛이나 취미는 달랐지만 둘 다 귤을 좋아했다. 박운이 만든 귤향 나는 향초에 흥미를 갖더니 취미로 주말마다 비누를 만들었다 귤, 레몬, 라임 종류도 다양했다. 익숙하게 서로의 향기를 찾았고 즐거이 이야기도 나눴다. 그렇게 시간이 무르익고 마음이 기분 좋게 조향 됐을 때 둘은 작은 카페 라운지에 앉아 손을 맞잡고 웃었다.

싸우고 다시 화해하고 입을 맞추는 시간이 길게 꼬리를 보이고 둘은 평생을 약속한다.

박운은 몇 년, 혹은 몇십 년을 그와 살았다. 그리고 자신의 심지가 줄어들 즈음, 자신의 검은 책을 덮었다.

동상이몽

예로부터 몽상가들은 '생각은 많은데 행동으로 옮기는데 오래 걸리는 족속' 이다. 몽상이든 공상 같은 허튼짓이나 하는 걸로 보이니 기억의 정원사가 좋아하지 않는 건 당연지사다. 그렇지만 이 공상가들은 독특한 힘이 있어 날아다니는 그런 꿈같은 것들을 예리하게 잡아내어 기억을 만들 수 있었다.

몽상이나 공상 같은, 혹은 꿈은 우리 생각과 달랐다. 애초에 기억은 형태화 할 수 없지만 기억을 다루면 자신이 가진 특별한 영혼의 힘으로 형체를 만들었다.

그러나 꿈은 애매한 경계에 선 것이다. 실제로 일어나지 않았지만 실체가 있다. 그 실체를 잡아채는 능력은 그런 몽상가들만이 할 수 있다. 그러니 정원사가 아무리 불편한 상황이라도 가리면서 만날 수는 없다. 업무상 만날 빈도가 생각보다 많기도 했다.

라벤더는 이들을 이렇게 정의했다. '낭만가' 라고 말이다. 성임이 알았다면 낭만이 다 죽었다고 코웃음을 쳤을 테지만 개인적인 주관적인 감상을 굳이 입 밖으로 내지 않았다.

아무튼 이 망상가들을 만나면 조심해야 한다. 치졸한 망상이 들키지 않게 말이다.

다행히 이 몽상가들은 업무실 밖으로 잘 나오지 않았다. 그들이 나온다면 그건 아주 재밌는 일이 일어난다는 걸 의미한다.

니체는 신에게 재판 선고를 내린 시대의 천재다. 신은 없음에도 믿음은 존재한다. 그러니 존재하면서도 하지 않는 것이다. 이토록 완벽한 모순이 어디에 있을까? 몽상가는 이 모순을 좋아한다. 살아가면 동시에 죽어가는 건 생명이다. 영원한 건 없다. 그리고 모순이 존재하는 이곳, 기억의 숲.

기억의 숲을 오가는 모든 기억을 서술자가 쓴다. 기록자들이 기록한 '나기'라는 것을 서술자가 다시 복기하는 것이다. 이렇게 서술자가 쓴 기억이 숲을 이루고 그 숲이 도서관을 채운다.

그리고 당신의 앞에는 지금 서술자 여름이 있다.

여름의 손은 빠르게 원고지를 넘긴다. 은색 잉크로 휘갈겨진 글은 모두 생명의 기억이다. 살아있다면 그 누구도 기억의 정원에 묻힌다. 육신을 어딘가에 묻으면 기억과 혼은 여기에 묻힌다. 그 밭을 꿰매는 것이 서술자의 몫이다.

당신은 그에게 묻는다.

"이런 게 쓸모가 있습니까?"

".......기억을 저장하는 건 생존 외에 그렇게 쓸모 있다고 생각 안 해."

여름이 입을 열었다. 손은 여전히 빠르다.

"인간이나 이러고 사는 거야. 쓸데없이 복기하는 거지. 그들이 더 뛰어나서? 아니. 그냥 멍청해서."

여름의 손길은 매정하다. 말씨도 참 그랬다.

"사는 것도 벅찬 세상 속에 별 걸 다 기억하고 살지. 그게 멍청한 거야."

서술자의 손놀림으로 원고지는 그 수가 점점 줄어든다. 은빛으로 빛나며 형체가 꽃가지가 되었다. 꽃가지를 모아두고 손가락을 튕기자 네모난 화분들이 나타났다. 거기에 가지를 골라 넣었다. 분류법은 알 수 가 없었지만 모양새는 멋들어진다.

당신은 그에게 묻는다.

"오래 기억하면 좋은 것 아닙니까?"

"병 걸려."

"어차피 걸렸으면?"

"흥. 속병 말이야, 마음의 병. 정신에 병이 깊어진다고. 이 작은 뇌에는 기억을 할 수 있는 세포가 있어. 그 세포를 필요이상으로 소모해봤자 병만 생긴다고. 쓰임에는 다 정해진 게 있는 법이야."

여름은 그러고 할 일을 이었다.

"그, 제 기억은 그래서......."

"아, 진짜 성격 급하네. 그러게 왜 억울하다고 소송을 내선."

선고된 죽음이 억울한 영혼은 종종 관장에게 호소하며 재판권을 얻는다. 당신은 '자살'이 아닌 '타살'이라고 주장하고 있다. 여름은 당신에게 주어진 변호사다. 이 변호사는 곧 당신에게 최악의 제안을 한다.

"정원사 불러줄테니, 걔랑 몽상가를 찾아가 봐."

"그, 그게 뭐죠?"

"하. 네가 기억 빨리 보여주고 싶은 거잖아? 이거 어느 세월에 다 읽어! 그 망할 몽상가는 기억을 가장 이성적으로 구분할 줄 알아! 그러니까 가서 네 억울함을 찾아오라고!"

당신은 이름부터 믿음직하지 않다고 생각했다. 하지만 담당자 심기를 건드려 좋은 꼴 보지 못하기에 여름의 사무실을 나왔다. 그러자 그 앞에는 내가 서 있었다.

당신은 날 보고 놀랐지만 왜 그러는지 알 수가 없었다. 우리는 여름이 안내하는대로 이동할 뿐이다.

우리가 소개받은 몽상가 세라는 분홍색 머리를 한 여자로 더러운 얼룩이 묻은 하얀 가운을 입었다. 나는 이 여자를 썩 좋아하지 않는다. 당신도 내키지 않는 얼굴을 하고 있으니 우리는 마음이 통한 것이다.

"그래서 억울하게 죽었다고요?"

세라는 명랑하게 물었다. 당신이 그렇다고 강하게 고개를 끄덕인다. 세라는 턱을 괴고 생각에 빠진다. 몽상가는 잠을 자서 기억을 끄집어내기에 당장 서서 생각한다고 해결될 건 아니었다. 아무튼 이 몽상가는 자신만의 진찰 방식을 갖고 있다.

"조향사 한줌에게 받은 좋은 향초가 있어요. 우리 그러면 잠깐 이야기 좀 나눌까요?"

세라가 웃으며 제안했다. 당신은 좋다고 했다. 다시 말하지만 몽상가에게 기억을 주는 일은 썩 유쾌하지 않았다. 그들은 이성이 아닌 것을 담당하니 말이다.

그래도 당신은 그를 믿었다. 순진무구한 당신을 말리지 않기로 했다. 난 당신의 변호사가 아니기 때문이다.

자, 당신은 세라가 안내해준 침실로 들어간다. 침실에는 아무것도 없이 침구만 있다. 세라는 향초 하나를 들고 와 심지에 불을 붙인다. 불꽃이 펴며 진한 쇠 냄새를 풍긴다.

"자, 정원사님은 나가 계세요."

"……."

"뭐지? 이 익숙한 혐오감은?"

"나가 있지."

나는 당신을 믿지 않았다.

세라는 턱을 괴고서 배시시 웃었다. 이번 손님은 억울한 일이 많았다는데, 그게 어떤 건지 궁금하다.

무의식은 달콤하다. '꿈'이라 부르는 것이 진실인지 중요하지 않듯이 세라에게 손님의 진상은 중요하지 않았다. 그저 욕망적이고 충동적인 것을 기대할 뿐이다. 그는 손을 비비며 잠에 빠지는 손님을 본다. 조용히 초를 불어 어둠을 끄집어낸다. 잠이 보내는 신호와 함께 세라의 눈은 흰자가 까맣게 변하고 검은 자가 희게 물든다.

기억과 어둠은 친구다. 그래서 모든 기억의 기록자와 정원사는 어둠 속에서 기억을 읽지 않는다. 그러나 몽상가만은 다르다. 어둠 속에서 기억을 부른다. 자신을 찾는 소리에 기어나오는 것들은 기다란 실의 형태를 하고 있다.

벌레같은 것들이 모이자, 세라는 무척 사랑스럽다는 듯이 바라보며 눈물을 뚝뚝 흘린다.

기억이 가장 좋아하는 슬픔과 우울이다. 서로 먼저 가려고 엉킨 것을 빠르게 낚아챈 세라는 베개에 기억들을 묶어 올린다. 쉭쉭거리는 소리가 들린다.

세라는 아무렇지 않게 울며 자장가를 불렀다. 손님은 식은 땀을 줄줄 흘리며 베개를 적시고 있다. 세라는 은빛 나이프를 들어 허공을 십자가 모양으로 가른다.

자, 기억이 펼쳐진다. 쇠 냄새와 함께 펼쳐지는 광범위한 꿈속의 세상에 도착했다.

당신은 25살에 결혼했다. 딸을 하나 낳았고 그 딸은 그림을 아주 잘 그렸다. 그런데 소극적이라 늘 사고에 휘말렸다. 당신은 속이 상해 잔소리를 했고 그럴 때마다 서로에게 상처를 입었다.

어느 날은 생일이라고 특별히 용돈을 주며 파티를 하라고 했더니 친구 하나 없어 누구도 초대하지 못했다. 더 속상할 자식에게 좋은 소리 하나 하지 못하고 버럭 소리쳤다. 당신은 학창 시절 나름 친구가 많았다. 사람들과 잘 어울렸다. 아내도 마찬가지다. 그런데 자식은 왜 이 모양일까? 속상한 당신 마음을 딸은 모르는 듯하다.

당신은 딸과 점점 멀어진다. 중학교 즈음, 그래도 딸이 친구라고 하나를 데리고 다니는 걸 보고 안심했다. 친한 척 다가가기엔 당신은 늙었고 딸은 당신을 무서워한다. 그래서 그냥 멀찍이 바라만 봤다.

고등학교에 가서 딸이 공부를 썩 잘하지 못한단 걸 알게 된다. 낙서로 가득한 공책을 찢고서 허튼짓하지 말라고 소리 질렀다. 나이가 들수록 숫기가 없어지고 소리만 지르는

84

자신을 원망한다. 또 상처받은 딸이 방안으로 들어가는 걸 지켜본다. 훌쩍이는 소리가 들렸다. 그래도 모르는 척했다. 당신은 스스로 그게 옳지 않다는 걸 알았지만 성공을 위해 어쩔 수 없다고 생각했다. 당신 아내가 너무 몰아세우지 말라고 한다. 그러면 당신은 대꾸한다.

"평소에 애를 어떻게 키운 거야? 집안에만 있으면서 놀기만 하지. 쯧!"

"뭐라고? 놀긴 뭘 놀아! 당신 양말이랑 속옷은 그냥 나와? 매일 아침 차리는 건 또 누군데?"

"겨우 그런 걸로 생객내는 거야? 그거 할 돈 벌어다 주는 건 또 누군데!"

매일 같은 얘기를 하면서 제대로 된 대화를 하지 못하는 건 나이를 먹어서라고 말한다.

당신은 자녀가 훌륭하게 자라고 아내가 힘들지 않기를 바란다. 그렇기에 힘을 내서 돈을 벌었다.

그런 당신에게도 즐거운 일이 있다. 이번에 새로 들어온 주임이 사근사근 잘 웃어준다. 집에 있을 때와 다르게 농담 따위를 했다. 그럴 때면 주임은 조용히 웃었다. 그게 좋아 따로 불러 커피를 사줬다. 사실 당신은 카페를 사치스럽게 생각하고 탕비실에서 믹스커피를 마신다. 하지만 씩씩한 후배를 잘 해주고 싶어 지갑을 털었다.

주임은 당신에게 이것저것 잘 물어봤다. 당신은 대견해 딸이 이랬으면 좋겠다 생각하며 머리를 쓰다듬었다. 그걸 본 김 팀장이 그를 불렀다.

"박 과장, 요즘은 그런 거 보기 안 좋아."

"네?"

"그, 머리 쓰다듬는거나 그런 거 하지 마. 요즘 여자애들이 얼마나 독한데. 쯧, 조심하라고."

하지만 그건 팀장이 주임을 몰라서 하는 얘기다. 그 애는 당당하게 점심 사달라고 졸랐다. 딸이 이랬으면 얼마나 좋을까 생각하며 생색을 내며 사줬다. 당연히 커피도 사줬다. 요즘 애들이 먹는다는 '아아'를 따라 마시면서 당신은 농담을 한다. 그러면 주임이 시원하게 웃는다. 당신은 기분이 좋아진다.

어느 날 당신은 그 주임이 기분이 안 좋아 보이는 걸 발견한다. 무슨 일이냐고 묻자, 동생이 요즘 자신과 어울려 주지 않는단 거다. 그게 참 귀엽다고 생각해 머리를 쓰다듬었다.

당신은 또 기분이 좋지 않다. 딸이 좋은 대학에 들어가지 못했다. 주임은 이름만 대면 아는 대학에 갔는데, 딸은 서울 4년제에 발도 못 들인다. 그게 너무 속상해 화를 냈다. 맨날 쓸데없이 놀기만 하니까 그런다고 방을 뒤졌다. 낙서 몇 장이 나왔다. 당신은 자신도 모르게 딸의 뺨을 때렸다. 그게 딸과 마지막으로 대화를 한 날이 됐다. 딸은 이름도 모르는 대학에 들어갔고 장학금과 아르바이트 돈으로 대학 생활을 해야 했다. 당신이 돈을 보내주지 않아서지만, 부모에게 잘못했다고 빌고 애교라도 부렸으면 해결 될 일이었다.

그리고 당신은 또 기분이 나빴다. 주임이 회사를 그만둔다고 했다. 무슨 일이냐고 커피를 사주겠다고 했으나 괜찮다고 거절당한다. 며칠 뒤 급하게 나가는 그에게 '아아'를 멋대로 쥐어준다. 망설이며 고맙다는 말이 참 기특했다. 어디서든 씩씩하게 잘 될 아이라 생각했다.

얼마 뒤 당신은 늘 말수가 적은 강 부장에게 불려간다.

"박 과장, 이번에 신입 들어오는 거 알지?"

"아, 지연 주임 자리죠? 그 애처럼 싹싹하면 좋겠네요."

"하. 박 과장, 신입 들어오면 잘해주겠다고 나서지 마."

"예?"

강 부장은 항상 당신을 못마땅하게 여긴다.

"지연 주임 자네가 하도 참견해서 나간거잖아."

"네? 저희 사이 좋았는데요?"

"자네 진짜 눈치가 없군. 그러니 만년 과장이지. 하여간 또 신입 나가면 자네도 같이 나갈 줄 알아! 이 주임 일 잘해, 성격 좋아서 부서 분위기 좋았는데!"

당신은 억울했지만 부장이니까 입을 다물었다. 어쩐지 부서에서 당신을 보는 눈빛이 이상하다. 비웃는 것 같기도 했다. 당신은 눈이 마주친 황 대리를 불러 충고를 했다. 집무실이 자네 안방인가? 옷 제대로 안 입어? 성격 좋은 황 대리는 알겠다고 웃었다. 그러면 당신은 마음이 좀 풀린 채로 자리로 돌아간다.

새 주임은 커다란 안경을 쓴 여자애다. 이제 막 대학을 졸업했다는 말에 당신은 또 딸을 떠올린다. 여전히 대화를 하지 못하고 있다.

새 주임은 이전주임과 달리 싹싹하지 않았다. 너무 내성적이고 남들과 어울리지 못한다. 당신은 딸과 비슷한 성격의 주임을 챙겨줘야지 하며 '아아'를 사줬다. 새 주임은 연신 고개를 끄덕였다. 싹싹한 것과 또 다른 기분이 들었다.

당신은 새 주임이 마음에 들었다. 그래서 이것저것 어려워하면 달려가 살폈다. 기분이 안 좋아 보이면 커피를 가져다주고 고민 상담하는 척 딸 애기를 했다. 그러면 주임은 진지하게 생각해주었다. 아직 시간이 필요하니 조금씩 필요한 것을 주고 대화를 시도해보라고 했다. 꼭 사과하라는 조언에 고맙다고 했다.

당신은 딸과 잘 되고 싶지만 입이 떨어지지 않았다. 당신은 너무 나이가 들었고 웃는 게 어색했다. 그래서 또 우물

쭈물하다가 새벽에 들어온 딸과 마주치자 들고 있던 지갑을 내던지고 만다.

"지금이 몇 신데 기어들어 와? 너 남자 만나지?"

"이 양반이 미쳤나? 왜 새벽에 애를 잡아! 쟤 요즘 식당에서 일해서 새벽에 들어온 지 좀 됐어!"

당신은 모르고 있던 일이다. 말해주면 될 일이었다. 삐져서는 아무런 얘기를 안 하니 오해가 생기는 것이다. 당신은 지갑을 주우며 일찍 들어오라고 말한다. 사실 가장 먼저 사과를 해야 한다는 걸 안다. 하지만 솔직해지지 못했다.

당신은 또 주임에게 사정을 말한다. 딸과 잘 되지 못했고 도리어 사이가 멀어졌다. 주임은 진지하게 사과를 하라고 조언했다. 당신은 조금 짜증이 났다.

"그래도 부모가 애한테........"

"과장님 요즘은 먼저 사과하는 사람이 이기는 거래요."

당신은 그 말에 조금 감동을 받는다. 자신을 생각해주는 건 주임뿐이다. 내성적인 주임은 꼭 할 말은 했다. 그러면서 수줍게 웃는 게 보기 좋았다. 당신은 문득 자신의 옷차림이 너무 아저씨 같지 않나 생각한다. 머리도 대충 손으로 정리한다.

이제 당신은 매일 아침 일찍 일어난다. 아침을 해주는 아내에게 괜스레 인사한다. 늘 깨워야 일어나는 인간이 무슨 일이냐고 아내가 웃는다. 그게 오랜만이라 기껍다.

당신은 셔츠며 넥타이며 꼼꼼하게 고른다. 아내 향수도 몰래 뿌렸다. 아내가 슬쩍 무슨 일이냐고 묻는다.

"거래처 갈 일이 있어서. 이상하진 않지?"

"어머, 내 남편 인물이 훤한 줄 이제 알았네."

"그걸 이제 알았어? 아, 운이는?"

"아침 일찍 나갔지. 왜?"

당신은 지갑에서 오만원을 두 장 꺼내 아내에게 준다. 개 오면 주라고.

"어머, 무슨 바람이 들었담? 알았어. 잘 다녀와."

당신은 가벼운 발걸음으로 회사로 간다. 항상 아홉시 정각에 오던 당신이 삼십 분 일찍 온 건 몇 년 만이다. 달라진 모습에 부서 사람들이 짓궂은 농담을 한다. 당신은 그냥 웃어넘긴다.

주임은 항상 아홉 시 십 분 전에 온다. 그 시간이 기대된다. 시계만 바라보던 당신은 어느새 아홉 시가 넘은 걸 확인한다. 얼른 일을 시작했다. 어디 아픈 걸까, 슬쩍 문자를 보내지만 받지 않는다. 반차를 썼나 고민하고 기다리지만 주임은 오지 않았다.

그리고 점심시간이 지나고 부장이 당신을 부른다. 아침에 회의가 있더랬다. 또 무슨 일인가 싶어 긴장하고 있으니 부장이 짐을 싸라고 했다.

"자네 퇴직금은 그래도 넉넉하게 줄 거니까 걱정말고. 그동안 수고 했어."

"예? 갑자기 무슨?"

"갑자기? 야! 너 내가 신입 들어오면 친한 척하지 말랬지? 아주 신나서 애 따라다니며 괴롭혔다며? 옷은 또 뭔 꼬라지냐? 너 회사가 장난이야? 네 연애 사업 하는데야? 그렇지 않아도 요즘 신입 뽑기 빡센데 왜 난리냐고!"

부장은 서류를 당신의 얼굴에 던진다. 당신은 자존심이 상했지만 맞았다.

이상하다. 주임과 사이가 좋았다. 늘 진지하게 딸 이야기를 해줬다. 근데 왜 자신에게 그런 얘기를 하는 걸까? 당신은 이해하지 못한다. 이지연 주임도 그렇게 얘기한 게 생각났다. 김 팀장 말이 맞는지 모른다. 요즘 계집애들은 독하더라니, 억울하게 자기 핑계를 대고 그만둔 것이다!

당신은 억울했다. 그래서 회사를 나가기 전에 몰래 서류를 하나 빼돌렸다. 그만둔 주임의 주소다.

당신은 그를 찾아갔다. 그의 집 앞에서 대기하다가 주임과 만난다. 당황한 그에게 자신에게 왜 그러냐고 묻는다. 자신의 잘못을 안 주임이 용서를 빌며 움츠린다. 당신은 괜찮다고 말한다. 어깨를 잡고 회사에 다시 얘기하라고 설득한다.

주임이 고개를 저었다. 당신은 화가 나 정신을 잃었다.

다시 이성이 들었을 땐 경찰서에 있었다. 젊은 여자를 때렸던 혐의였다. 아내가 맨발로 찾아와 허리를 숙였다. 제발 선처를 부탁하지만 주임의 부모는 도리어 화를 냈다. 돈을 준다고 하자 필요 없다고 유치장에나 가란다. 순간 겁이 났다. 당신이 소리친다.

"당신 딸이 먼저 꼬리 친 것 갖고 지금 나한테 뭐라고!"

"뭐? 이 양반이 미쳤나! 그래, 어디 해보자고!"

당신은 솔직하게 유치장이 두려웠지만 큰소리만 쳤다. 나이 든 탓이라고 생각했다.

상황이 안 좋게 흘러갔다. 전 회사에서 당신을 좋지 않게 평가한 탓이다. 전담 변호사를 고용하니 그가 그냥 솔직히 사과하고 돈 주고 끝내라 한다. 당신은 억울하다. 그래서 싫다고 고집을 부렸다.

술을 마셨다. 아내가 대화해주지 않았다. 변호사가 한심하게 쳐다본다. 경찰이 좋게 끝내지 그랬냐고 한숨쉰다. 모든 게 뜻대로 되지 않는다.

당신은 너무 화가 난다. 그건 자신이 아닌 딸로 향한다. 늦은 새벽 일에 지친 딸이 집으로 들어온다. 당신은 그의 머리를 잡아당기고 소리 지른다. 너만 아니면 아무런 문제가 없었다고 말한다. 딸이 울었다. 아내가 어디서 몽둥이를 가져와 허리를 때렸다.

"미친 새끼가 어디서 화풀이야!"

당신은 아내에게 몽둥이를 빼앗는다. 같이 살 부대끼고 살았으면서 왜 내 편을 들어주지 않느냐고 화를 냈다. 당신은 오늘 가족을 때리고선 집을 나왔다. 억울해서 울었다. 남자답지 못했다. 당신은 이제 갈 곳이 없다. 해가 막 뜨기 시작한 시각, 당신은 이름이 기억나지 않는 다리 위에 있다.

"솔직한 이야기?"

여름은 팔짱을 끼고 라벤더를 올려다본다.

"그렇다. 몽상가는 믿을 수가 없다."

"네가 믿는 게 있긴 하고? 어차피 몽상가도 똑같은 얘기하겠지 뭐."

라벤더는 고개를 갸웃거린다.

"그럼 왜 만나게 했냐?"

"뻔한 결론 굳이 내야는 건 귀찮고, 몽상가면 내가 손대지 않아도 어련히 손질해 줄 테니까."

여름이 무심하게 말했다. 그는 화분을 다른 정원사에게 나눠주고 있다. 라벤더가 의아해하며 묻는다.

"그럼 그 남자의 나무는 어떻게 되는 건가?"

"나무? 아, 그거? 관장님이 내가 알아서 처리하라고 했고 몽상가가 처리하는 대로 뽑아야지. 그 자리에 둘 기억은 ……. 자, 이거야."

여름이 라벤더에게 작은 소나무를 받는다.

"이해할 수가 없다."

"뭐를?"

"재판 얘기는 왜 한 건가?"

"그런 놈들은 자기들한테 뭐 정당한 권리가 있을 거라 믿으니까 대충 비위 맞춰주는 거지. 다른 기억 안 다치려면 어쩔 수 없어. 그러니까 너도 잘 맞춰라. 몽상가가 그래서 뭐라고 했지?"

"……피해자 기억까지 볼 필요 없다는군."

"하여튼 그 새끼도 웃기네. 지가 뭐라도 되는 줄 알아. 죽음으로 도망친 새끼만큼 이 숲에서 권리가 없다는 걸 모르니 저러는 거겠지. 아무튼 수고했어. 가서 나무를 바꾸도록 해."

라벤더는 더 묻지 않았다. 지정된 장소로 가니, 몽상가 세라가 있었다. 그는 라이터를 가지고 손장난을 치고 있다.

"아, 오셨군요. 그게 새 나무?"

"여기, 방화는 안 된다."

"그건 알아요."

세라가 방긋 웃었다. 그는 라이터를 넣고 팔짱을 꼈다. 라벤더가 하는 일을 구경하려는 모양이다. 라벤더는 어깨를 으쓱이며 도끼를 꺼냈다. 기억의 나무는 단풍나무였다.

이상하게 한 뿌리에 두 그루 나무가 있었는데, 이건 현실과 무의식의 격차로 일어나는 현상이었다. 아직 푸른 잎사귀를 물끄러미 보며 사색에 빠진 세라를 애써 모른 척하며 줄기를 베기 시작했다.

나뭇가지가 흔들린다. 애처로운 비명이 들린다. 주변 나무들이 웃었다. 키득거리는 웃음이 즐거워보인다. 라벤더는 더욱 세게 도끼를 휘두른다. 나무가 쿵 땅으로 떨어진다. 라벤더가 품에서 책 한 권을 꺼낸다. 검은색이다.

-故 박종식(82-196707-20130708-16447077(사-ㅂ))

"당신의 책은 폐기처리 되었습니다."

책을 가운데부터 쭉 찢는다. 그 순간, 나무가 검게 물들더니 검은 나비로 변한다. 정원사가 손짓하자 나비는 하늘로 올라갔고, 나비는 먹구름이 되어 비를 떨구기 시작한다.

"비가 내리고 음악이 흐르면......."

세라가 콧노래를 흥얼거린다. 라벤더는 검게 물든 도끼를 빗물에 씻었다. 끝이다.

세라는 돌아서는 라벤더를 응시하며 새로 심은 소나무 곁에 앉는다. 그는 아주 작은 소리로 속삭였다.

"여름에게 들었어. 네가 이번에 새로 태어난 아가라며? 반가워. 네가 오래 여기 있으면 좋겠어. 이전 녀석은 꿈이 너무 작위적이라 재미가 없었거든."

세라는 작은 솔잎을 쓰다듬는다.

"아가. 너만은 날 즐겁게 해주렴. 좋아, 그러면 네 첫 번째 기억은 뭘까?"

그는 나뭇잎을 하나 톡 떼어 라이터로 불을 붙인다. 흰 연기가 피어오르며 세라의 주변을 감싼다. 흰자와 검은자의 위치가 바뀌고 그가 커다란 입으로 웃었다.

"아아! 아이, 즐거워라!"

작은 불장난은 금방 꺼졌지만 탄내는 오래 그 자리에 맴돌았다.

소리를 찾아서

기억이 사라진 건 6개월 전이다. 지구의 시간으로 말이다. 라벤더 씨는 시간 개념에 조금 약한 편이라 늘 시계를 갖고 다녀 정확하게 말할 수 있다. 유성임은 기억의 실종을 두고 미식가의 짓이라고 말했다.

미식가가 왜 기억을 훔치냐는 물음에 항상 그는 몸에 직접적인 섭취를 하면 원래 제정신이 아니라는 편견이 든 시선으로 말했다.

솔직히 말해서 미식가는 모두 제정신이 아니란 의견에 어느 정도 동의했다. 이제 한 명밖에 남지 않았지만 그간 거쳐온 모든 이들이 정신을 잃고 쓰러지거나 숲을 해쳤다. 누군가는 도서관에 불을 지르기도 했다.

사라진 기억은 현실 세계로 가기로 했고 완전히 소멸해버리기도 했다. 기억의 상실로 정원사뿐 아니라 모두가 비상 상태가 됐다. 특히 저승사자가 데려오는 영혼이 죽기 전이거나 기억에 이상이 있는 경우가 잦아졌다.

"기억의 숲 자체에 문제가 생긴 것 같네요,"

도서관 관장은 상황을 심각하게 받아들이지 않는 것처럼 보였지만 결국 갈리는 건 정원사다. 그들은 모두 현실과 하늘 정원을 오갔다.

찾은 기억은 흰나비가 되어 사라지고 책이 남는다. 찾지 못하면 자연 소멸된다. 다만 그 경우 세계에 영향을 미친다고 관장이 말했다. 시말서를 몇 번이나 쓰게 된 팀장들은 새파랗게 질려 더 바빠졌다.

나비가 되지 못한 기억은 사람들 기억에 침식해 자신의 우울한 감정을 나눈다. 침식된 감정에 휘둘리고 좋지 않은 선택으로 이어진다. 사람들은 이기적으로 변하고 사소한 것에 화를 내며 폭력을 휘두른다.

"새로 들어온 선우비야한테 잘 해주고요."

관장이 성임의 어깨를 다독였다. 정말 귀찮다.

단지 기억으로 어떻게 숲이 이뤄지는지 묻는 선우비야에게 성임은 이렇게 말했다.

"사람은 기억으로 살아. 기억은 감정을 만들고 추억하게 하지. 살에 베여 영원토록 잔흔을 남기기도 하고. '어떻게'가 아니야. 모두가 그래."

기억은 삶을 이루는 가장 큰 뿌리라고 팀장들은 하나같이 기억이 날뛰는걸 질색했다. 성격 좋은 조해진 팀장조차 치를 떨었다.

그러니 이 난리가 6개월간 이어졌단 건, 팀장도 팀원도 지쳐 나가 떨어졌다는 거다. 박운은 운이 좋았다. 라벤더에게 무슨 짓을 했는지 탈탈 털어봐도 그는 끝내 아무런 말도 하지 않았다. 보통 사고로 죽은 이는 제대로 기억을 하지 못하고 자연 소멸 되기도 했다. 나비가 되지 못하고 말이다.

선우 비야는 반년 전 이곳에 온 기억을 잃은 영혼이다. 어쩐지 나비가 되지도 사라지지도 않아서 관장은 그가 기억 나무를 스스로 다시 가꾸는 일부터 시작하게 했다.

그러나 반년간 나무는 더욱 빠르게 죽어가기만 했다. 비야는 우울한 얼굴로 식물을 잘 키워 본 적이 없다고 해 성임의 뒷목을 잡게 했다.

이렇게 정원사가 되는 게 적지 않다고 하며, 빨리 기억을 하라고는 안 할 테니 도서관을 뒤져서라도 잘 살리라고 했다.

결국 이 나무는 모두가 돌아가며 보살폈다. 그리고 그즈음 기억의 실종이 시작됐고 문제가 퍼졌다.

팀장들은 선우 비야를 의심했다. 문제의 싹이라 판단했지만, 성격 더럽기로 둘째가라면 서러운 유성임이 자기 팀원은 자기가 알아서 하겠다고 욕을 하며 쫓아냈다. 야무지게 가운데 손가락을 흔들기까지 했다.

옆에서 지켜본 라벤더는 자신의 정원 일지에 '개똥도 약으로 쓸 수 있다.' 라고 적었다.

고양이 라즈베리 벤 다즐링은 유유히 숲을 걸었다. 아는 발걸음들이 사라진 이곳은 절대 지지 않을 푸른 빛이 가득한 기억의 정원이다. 그의 노란 눈이 푸른 빛 사이로 사라졌다.

작은 고양이의 발걸음을 따라간다. 낮은 시야 속에 숲은 더욱 광활하게 느껴진다. 높은 수풀을 지나 형형색색 꽃밭을 밟고 두꺼운 나무줄기를 타고 올라 가볍게 가지 사이사이를 뛰어다닌다.

그가 도착한 곳은 보라색 꽃이 핀 작은 터다. 정중앙에는 앙상하게 마른 나무 한 그루가 서 있다. 메마른 가지에는 잎사귀 하나 보이지 않았고 겨우살이도 버섯도 없다. 다람쥐나 매미도 앉지 않아 주변은 바람과 보라색 꽃뿐이다. 고양이가 우아하게 나무 아래 자리를 잡고 눕자마자 허리를 잔뜩 헝클인 이가 나타났다.

부드러운 갈색 코트를 입은 조해진이다. 코트색과 같은 머리색과 차분한 갈색 눈을 한 이는 고양이를 발견하지만 고개를 홱 돌리고 보라색 꽃이 핀 곳에 아무렇게나 눕는다. 가슴이 오르락내리락하며 숨을 고른다.

말이 없던 조해진은 갑자기 벌떡 일어나 앉는다. 그러고

는 다시 고양이를 응시한다. 노란 고양이의 눈을 한참 들여
다보고는 제 머리를 긁적거린다.

"나도 제정신이 아니야. 오, 절대 난 아무것도 기억나지
않아."

웅얼거리는 소리가 부정확해 고양이가 귀를 쫑긋거린다.

"바라가 오기 전에 해결되어야지."

무엇을? 고양이는 고개를 갸웃거렸다. 눈치채지 못한 조
해진은 숨을 천천히 고르며 꽃을 한 줄기 꺾는다.

"나의 나무야. 얼른 잘 자라렴. 꽃을 피워줘."

고양이를 본 척도 하지 않고 나무에게 다가갔다. 눈이 텅
비어 맛이 간 것 같다.

"난 보라색이 좋아. 네가 등나무면 좋겠어."

그러고는 나무줄기에 얼굴을 파묻는다. 작은 흐느낌이 들
린다.

"이 지옥에서 제발 날 꺼내줘!"

그러나 나무는 대답이 없다. 고양이는 동공을 조이며 고
롱고롱 소리를 냈다. 편안한 소리에도 해진은 불안해하며
나무를 끌어안았다.

"아, 여기는 지옥이야. 천국도 하늘 정원도 아니야. 그
냥 지옥이야."

해진의 시선은 다시 고양이에게로 향한다.

"노란 눈을 봐. 저 고양이는 누군가를 닮았어. 아, 내가 먹은 기억 탓이야. 그걸 먹지 말았어야 했어. 미식가탓이야!"

불안한 떨림이 곧 잦아졌다.

"……선우 비야라고 했지? 그 꼬마의 나무를 봐야겠어. 나무야. 내가 잘 해결할게. 걱정하지 마. 우리는 돌아갈 수 있어."

한 강아지가 지키는 들판은 오직 민들레만 피었다. 아주 작은 찰나를 산 이들의 기억을 보관하는 장소다. 강아지는 기억을 잘 쫓아내고 구멍을 잘 팠다. 그에게 붙여준 이름은 많았지만 정확한 건 없었다.

관장은 그를 '친구'라고 불렀고, 기억 세공사 별은 '달님'이라고 불렀다. 또 유성임은 '민들레'라고 불렀고 라벤더는 '개'라고 불렀다. 조해진은 무엇도 아닌 '저승사자'라는 표현을 했지만 그의 이름을 아는 건 한 사람뿐이다. 바로 소리의 기억을 잡아내는 조율사 송은율이다.

그는 아침이 되면 민들레 꽃이 핀 곳으로 향한다. 노랗고 하얀 색이 고와 한참을 바라보면 작은 발소리가 들린다. 촐싹이지도 그렇다고 느리지도 않는 정직한 걸음걸이. 낮은 울음소리를 낸 이가 곧 송은율을 알아보고 꼬리를 흔든다.

"이거."

송은율이 주저앉아 작은 방울을 건넨다. 들판의 용감한 장군이 입으로 방울을 물고 뒤도 안 돌아보고 꽃들 사이로 사라진다. 실제로 그를 만난 사람이 적지만, 모두 저 작은 털뭉치가 이 숲과 정원에서 가장 용맹하다는 사실을 안다.

어린 조율사의 시선은 한참 흔들리는 꽃에 향했다. 무슨 말을 더 해야했을까 고민했지만 마땅히 생각나는 단어가 없었다. 소리를 담당하는데, 이렇게 말을 못해서야. 조율사는 입을 꾹 다물고 들판에서 돌아선다.

작업실로 돌아온 송은율은 나무를 깎기 시작했다. 오르골을 만들기 위해서다. 나무는 인간의 것이다. 기억의 숲에선 함부로 나무를 벨 수가 없어 한 달의 한 번, '삶'을 살피러 가는 '보따리장수'에게 부탁한다.

보따리장수는 항상 물품과 함께 '삶'을 이야기한다. 요즘 '삶'은 어수선해 사람들이 더 많이 '죽음'을 들여다본다. 그러면 어린 조율사는 더 많은 나무를 찾는다.

오르골은 연주를 멈출 수 없는 악기다. 다른 악기 모두 손으로 직접 연주해야지만, 오르골은 정해진 틀에 맞춰 정해진 음을 내야만 한다. 다른 악기는 어떤 소리로도 음악을 만들 수 있지만, 오르골은 주어진 음만을 낼 수 있다. 그렇기에 멈출 수 없는 악기다. 그래서 기억을 가장 닮았다.

송은율이 기억을 악보가 아닌 오르골에 담기 시작한 건 오래지 않았다. 아주 작은 친구가 그에게 부탁했기 때문이다. 민들레꽃과 잘 어울리는 찰나를 담았다. 친구가 기뻐했고 송은율도 그랬다.

오르골은 시작부터 정해진 이야기가 있다. 항상 그 소리가 자신의 문을 두드린다. 그리고 누군가의 이름을 속삭인다.

"송은율, 선우비야 못 봤어?"

한참 나무에 기억을 새기는데, 검은 머리가 불쑥 튀어나왔다. 눈높이가 비슷한 이는 숲에서 단 한 사람뿐이다.

"유, 유팀장님!"

"우리 애 못 봤냐고요."

유성임은 무언가 기분이 나쁜 모양이다. 사실 그는 늘 기분이 나빠 보였다. 희고 어려 보이는 얼굴에 날카로운 검은 눈이 겨울 산에 조용히 숨을 죽이는 사냥개 같기도 했다.

그래서 송은율은 그다지 좋아하지 않았다. 어리다고 봐주지도, 좋게 말하지도 않는 사람.

조율사와 정원사 중 누구의 직급이 더 높다고 할 수 없다지만, 정원사는 늘 기억을 잡아 뜯었고 조율사는 그걸 이어 붙였다. 그러니 좋은 협력 관계라 할 수 없다.

청각이란 가장 빨리 훼손되면서 가장 오래 활성 하는 기관이다.

송은율이 조율사로 있으며 들은 소리 중, 기억이 붙잡히는 비명만큼 끔찍한 건 없었다. 그건 산 것이 낼 수 있는 것이면서 산 것 같지 않은 소리다. 바이올린은 엉망진창으로 뜯어도 절대 나올 수 없는 음이다.

정원에서 일어나는 모든 소리를 들어야만 하는 쪽이 일방적으로 좋다고 하지 못하는 관계니, 유성임 팀장의 등장이 즐겁지 않았다.

유성임은 조용한 조율사를 못마땅하게 본다.

"그래서 비야는?"

"아! 보, 보지 못했습니다!"

"오케이. 알았으니 볼 일 마저 보시죠."

그러고는 긴 머리카락을 휘날리며 멀리 걸어간다.

바로 그 순간이었다. 유성임 팀장의 뒤로 보라색 빛이 반짝거렸다. 조율사는 멍하니 그 빛을 바라봤다. 아주 찰나였지만 빛과 함께 아주 작은 고양이 울음소리가 들렸다.

"어?"

이 숲에 고양이가 없을 텐데? 퍼뜩 떠오르는 생각에 혹시나 민들레꽃밭으로 갈까 봐 작업실을 뛰쳐나왔다. 거친 바람이 불었다.

선우비야는 노란 꽃밭에 드러누웠다. 그의 가슴 위에는 갈색 강아지가 침을 뚝뚝 흘리며 앉았다. 당당하게 고개를 들고 있는 통에 얼굴을 제대로 볼 수 없었지만 그가 바로 유일한 동물 정원사라는 걸 알 수 있었다. 정원사라면 누구나 갖는 검은색 리본을 꼬리에 달고서 흔드는 게 사랑스럽다.

"저, 그러니까, 선배?"

선우비야는 그렇게 부를 수밖에 없었다. 자신은 정원사 중 막내니까. 상냥한 선배는 곧바로 고개를 내렸다. 새까만 두 눈과 콧물이 흐르는 까만 코가 나란히 그를 응시한다.

"저, 저는 여기에 실수로 온 거예요. 살려주세요."

선우비야는 기억과 사투 중이었다. 그때 바람이 불며 기억이 날아갔고, 잡으려고 손을 뻗다가 함께 데굴데굴 굴렀다. 그리고 존경하는 선배가 기억을 집어삼키고 넘어진 후배를 정복했다.

"서, 선배님?"

선배는 아무런 말도 하지 않았다. 과묵한 파수꾼은 꼬리만 작게 흔들었다.

곧 파수꾼은 가볍게 땅으로 내려왔다. 그리고 당당하게 앞으로 가다가 우뚝 서 휙 비야를 본다. 그가 의아하게 고개를 갸웃거리자, 다시 앞을 보고 뒤를 본다.

"따, 따라오라고요? '

" 왕! "

비야는 은근 걸음이 빠른 선배의 뒤를 따라가며 숨을 허덕
였다. 저 작은 발은 네 개나 되면서 헷갈리지 않고 박자를
맞췄다. 그게 무슨 악기 같기도 해서 저도 모르게 작게 웃
었다가 돌아보는 작고 까만 눈에 얼른 입을 꾹 다물었다.

" 왕! "

" 네? "

선배가 갑자기 멈춘다. 비야는 멈춘 곳을 둘러봤다. 그곳
은 전날 내린 비로 맑은 물웅덩이가 깊게 고여 있다.

" 왕! "

" 이상하네요. 숲에서 이만치 웅덩이가 생기는 일이 없는
데. 무슨 일이 있, 앗! "

선배는 야무지게 후배의 신발을 앞발로 툭툭 쳤다. 무슨
의미인지 이해하지 못하고 고개를 갸웃거리는데 햇빛에 반
짝이는 무엇인가를 발견한다.

" 저, 저게 뭐지? "

" 왕! "

" 네? 선배 물건인가요? "

" 왕! "

맞다는 건가? 비야는 고개를 갸웃거리며 입고 있던 재킷을

벗고 소매를 걷었다. 최대한 빛을 잡으려 팔을 뻗었지만 잡히지 않았다.

”왕! “

”아, 아무래도 들어가야겠어요. “

비야는 신고 있던 구두를 벗고 바짓단을 무릎 위까지 걷었다. 천천히 물에 발을 담그자 차가운 감촉이 소름돋게 했다.

”으, 차가워! “

”왕! 왕! “

”네? 무슨 말씀인지 잘 모르겠어요. 일단 가져와 볼게요. “

무릎까지 찬 물은 무거웠다. 바닥은 울퉁불퉁했고 맑은 물 위로 꽃들이 둥둥 떠다녔다. 조심히 걸으며 빛을 향해 다시 팔을 뻗었다. 그 순간이었다.

-딸랑.

”응? “

-딸랑.

”앗! “

첨벙! 발밑이 푹 꺼졌다. 무릎에서 허리까지 단숨에 물이 차올랐다.

”으악! 선배! “

”왕! 왕! “

”자, 잠깐만요! “

비야는 바둥거리며 팔을 휘젓는다. 손가락 끝에 차가운 무엇인가 닿는다. 그는 얼른 그것을 잡는다. 딸랑. 맑은소리가 울렸다. 그건 분명 방울 소리다! 비야는 그것을 가슴쪽으로 끌어당긴 채 조심히 몸을 돌렸다. 그럴수록 물은 빠르게 차올라 가슴팍까지 올라왔다.

”헉! “

“왕! 왕!”

“그, 금방 갈게요!”

비야의 몸은 점점 무거워진다. 이상하게 그럴수록 방울 소리는 선명해진다. 마치 그의 맥박처럼 딸랑거린다.

“허억, 헉!”

비야가 겨우 물 밖으로 한 발을 디뎠다. 홀딱 젖은 그는 쓰러지듯 꽃밭에 주저앉는다. 그 순간이었다. 품에 안기듯 있던 방울이 하얀빛을 내며 미친 듯이 떨려왔다.

“왕! 왕!”

용맹한 파수꾼이 방울을 향해 짖는다. 비야는 놀라 방울을 툭 떨궜다. 흙바닥에 떨어진 그것은 우둑 서 제멋대로 울기 시작한다.

“이, 이게 무슨!”

“왕! 왕!”

’비야, 너 그렇게 그리면 대학 못 가.‘

“네?”

비야가 몸을 돌렸다. 아무도 보이지 않았다. 그저 화려한 꽃밭과 물웅덩이뿐이다.

’선우 비야! 붓 똑바로 들어!‘

비야는 얼굴을 찡그리고 두 귀를 틀어막는다. 무슨 일이 벌어지고 있다. 낯설지 않은 목소리. 가슴이 뛰는 소리가 들린다.

분노는 차갑게 다가온다. 차가운 마음에 심지를 붙이고 타오르게 한다. 옮기지 않게 조심히 끌어안으면 안이 차갑게 얼어버리고 밖으로 옮기면 시야를 가릴정도로 열기가 가득해진다.

화는 쏟을 상대가 없음 내면으로 향한다. 자해하며 미쳐간다.

송은율은 숨을 깊이 들이마셨다. 귓가에 스치는 소리가 모두 그에게 음악이 된다. 떨어지는 잎사귀마저 누군가 연주하는 것 같다.

조율사의 집에서 가장자리를 차지하는 그랜드 피아노 앞에서 하루종일 기억을 연주하고 그 기억을 담아낼수록 가슴

속 분노는 뜨겁게 움직인다. 즐거움, 행복, 환희 그런 것도 분명 있는데 항상 부정적인 감정이 모든 것을 삼키려 입을 벌린다.

그는 마치 커다란 오페라 하우스에 홀로 무대에 선 기분이다. 떨어지는 북소리에 맞춰 가슴을 마구 흔드는 이 느낌에 숨이 턱 막혀 바닥에 쓰러졌다.

이건 누군가의 기억이다. 멋대로 틈을 비집고 들어온 아주 기분 나쁜 타인의 기억이 은율을 괴롭힌다.

그의 기억은 매우 느리고 무겁고 슬프다. 단조로 이루어진 선율은 고통이 느껴진다. 가슴을 가르고 심장을 꺼낸다면 겨울 눈꽃이 서려 있을 것 같다.

은율은 떨어진 기억을 소중히 품었다. 그는 자신과 닮았단 생각이 든다. 분명 기억이 존재하지 않는데도 어쩐지 동질감이 든다.

열네 살. 이 정원에서 어린 쪽에 속하는 그는 제가 왜 여기에 있는지 모른다. 그저 시키는 일을 묵묵히 해왔다. 그러나 마주한 기억을 보는 순간 숨이 턱 막혔다.

은율은 귓가에 맴도는 소리에 집중한다. 바닥에 떨어진 나무 조각을 다시 붙들고 조각칼로 파내기 시작한다.

처음 소리는 경쾌한 종소리다. 가볍고 맑은소리는 대부분 사람이 그렇다. 어린 생명이 태어나고 첫 시작이 두렵고 무서우나 따듯한 안정감이 품을 내주고 천천히 호흡하는 법을 익힌다.

어둠이 아닌 빛에서 눈을 뜨고 딱딱한 땅을 밟고 자란다. 넘어지고 아파도 곧바로 다시 웃는다.

그래서 늘 첫 시작은 대부분 경쾌하다. 그러나 그리 길지 않다. 서너살이 지나고부턴 희노애락에 조금 더 본질을 갖추게 된다.

어린이는 뭘 모른다고 어른들은 곧잘 생각하지 않는다. 태어남과 동시에 갖는 감정이 존재했다.

기억의 그는 연필 잡았다. 그림을 그렸다. 멋들어진 그림을 그려 방송사에서 찾아왔다. 너무 일찍 세상을 마주한다.

세상은 잔인하다. 쉽게 사람을 굵어 버린다. 슬퍼한다. 두려워한다. 다시 연필을 잡을 수 없다. 사람들은 그에게 실망하고 그는 도망치듯 방에 틀어박힌다. 느린 단조가 흐른다. 울음소리 같은 피아노와 흐느낌을 닮은 현악기가 뒤섞인다.

그는 세상에 자신을 드러내지 못한다. 학교에 가질 못했다. 버티고 버티다가 결국 어른들의 등떠밈에 걸어 나온다. 세상 빛과 다시 마주하고 두려움에 손을 떨었다.

그는 더이상 아기가 아니다. 그런데도 눈물을 삼킬 수 없다. 또래 아이들은 그를 괴롭혔다. 어렵게 나온 발걸음을 늘어지게 만든다. 고립감이 목을 조여온다.

티파니와 큰 북소리가 울린다. 둥둥 고래 고동 소리가 온 마음에 퍼진다. 두려움도 슬픔도 외로움도 모두 차가운 분노로 바뀐다. 비명을 지르고 몸을 뒤틀고 사람들과 싸운다. 목소리를 높이고 그들의 머리를 틀어잡는다. 분노한다. 낮은 단조는 격해지며 더욱 깊은 소리를 낸다.

어설프고 여렸다.

더이상 사람들과 마주할 수 없었다. 다시 연필을 잡아 흰 종이에 무언가를 그리려다가 실패한다. 무엇도 그릴 수 없었다. 그는 흰 벽을 바라본다. 마지막 그림은 새까만 그림자로 햇빛으로 겨우 그려낸다. 허공에 매달린 채 연주는 끝이 난다.

지휘자가 봉을 내려놓고 말한다.

'감사합니다.'

정말 감사할까? 고마움도 따뜻한 품도 없이 얼어붙은 심장에 핀 눈꽃을 은율은 보았다. 그 꽃이 녹지 못했다. 녹지 못한 채로 불에 태워지고 차가운 항아리에 담겼다. 끔찍한 일이다. 아프다. 너무 고요해서 이곳이 광활하게 느껴졌다.

만약 당신이 한 숲에 있다. 그곳에서 빠르게 죽어가는 나무를 보고 있다. 이 나무의 주인을 당신은 알고 있다. 그를 안타까워하면서 죽도록 내버려 둔다.

 당신이 무엇을 해도 나무는 죽을 것이다. 당신은 이 나무를 죽게 할 것인가? 아니면 이 나무를 위해 꽃 한 송이라도 가져다 줄 것인가?

 나는 이 나무를 항상 보러 온다. 이파리는 벌레가 좀 먹었고 줄기는 버섯이 자랐다. 볼 게 없는 나무다. 이걸 어떻게 하려는 건 아니다. 앞서 말했듯이 뭘 해도 죽을 나무다.

 정원의 숲은 가꿔지면서 가꿔지지 않는다. 정원사는 기억을 지키면서 기억을 죽인다. 손도 대지 못하고 썩어가는 이 나무는 누구의 기억일까? 당신의 기억일까? 그렇다면 당신은 이 나무를 어떻게 할 것인가?

 나는 이 나무가 죽기를 기다린다. 이 기억이 죽으면, 기억의 주인은 영영 세상에서 지워질 것이다. 그때 나는 썩은 낙엽으로 관을 만들어 주인에게 줄 것이다.

 그게 무슨 의미인지 나도 잘 모른다. 언젠가 책에서 연인을 그리워하며 잎으로 면류관을 만드는 것을 봤다. 그러니 오래 지켜본 기억에게 관을 줄 것이다.

 아, 나는 이 나무를 사랑하지 않는다. 당신이 누군가를 사랑해 본 적이 있다면, 그저 정이 들었다는 표현을 이해할지도 모른다. 그렇다. 나는 정이 든 거다. 홀로 외로이 죽어가는 벗을 위로하는 것이다.

그러니까, 이 나무의 죽음에 동의한 것이다.

비야는 땀에 젖은 얼굴을 손등으로 닦아내며 정신없이 몰려오는 기억을 쫓아내려 애쓴다. 은빛 가위로 자르고 삽으로 땅에 파묻으려 할수록 어여쁜 꽃밭이 망가질 뿐이었다.

"서, 선배! 도와줘요!"

비야가 울먹인다. 그러나 선배는 가만히 지켜본다. 어쩐지 숭고해 보이기까지 한다.

'다시 연필 들어!'

"무서워요, 무서워요!"

'이게 그림이야? 세 살짜리가 더 잘 그리겠다.'

"선배!"

'다 방송빨이라니까? 하여튼 대한민국 조작 없이 방송 못 만들죠-.'

귀에 박히는 소리가 벌떼 같다. 비야는 춤을 추듯이 바둥거리고 방울 소리는 커져만 간다.

"왕! 왕!"

"서, 선배! 제발 도와줘요!"

그러나 선배는 돕지 않는다. 그는 방울 소리가 시끄럽다는

116

듯이 화를 냈다. 꽃밭은 더 엉망이 되고 있다. 노란 꽃잎이
날린다.

"아, 안 돼!"

"왕! 왕! 왕!"

흩날리는 잎과 흔들리는 사람. 마치 하나의 그림 같기도
하다. 비야는 두 귀를 막고 비명을 지른다.

"아악!"

"왕! 왕!"

"비야씨!"

그때 멀리서 어린 목소리가 들린다. 비야는 듣지 못하고
춤을 춘다. 꽃밭에 멋대로 들어온 사람은 송운율이었다. 그
는 나무로 된 피리를 들고 있다.

"서, 선배, 미안해요."

은율이 짖고 있는 선배에게 머리를 숙이더니, 피리의 입구
에 입술을 댄다. 그리고 동시에 방울보다 더 청명한 소리가
꽃밭을 채운다.

'선우 비야! 똑바로 해!'

"나, 난 잘 하고 있어요!"

비야는 울부짖는다.

'선우 비야! 왜 이렇게 못 하는 거야? 다른 선배 좀 봐!'

'그저 똑같이 그리면 되는 거라고. 왜 이해하지 못 해? 너

바보야?'

"똑같을 거면 왜 그림을 그려야 해요? 사진도 찍는 사람마다 다른데 왜 나는 그래야 해요?"

'원하는 걸 이뤄드릴게요.'

피리가 만드는 선율이 비야를 감싼다. 비야는 여전히 춤을 추고 울었다.

"난 그냥 좋아하는 걸 하고 싶다고요! 그리고 싶은 걸 그리고 싶다고요! 유명해지고 싶지 않아요!"

'원하는 걸 이뤄드릴게요.'

은율의 이마에 땀이 송골송골 맺힌다. 빠르게 흐르는 연주에 잡아먹힌 방울은 더이상 울지 않았다. 툭, 귀를 막고 있던 비야가 팔을 떨군다. 젖은 얼굴이 원망스럽게 방울을 본다.

"헉, 헉!"

은율이 연주를 멈췄다. 그는 슬쩍 또래의 정원사를 본다. 그는 여전히 울고 있다.

"비야 씨!"

은율이 떨리는 목소리로 그를 부른다. 비야의 젖은 눈이 똑바로 상대를 응시한다.

"실례했습니다!"

은율이 고개를 푹 숙이고 바닥에 떨어진 방울을 주워 개의 목에 달았다. 꽃밭의 파수꾼은 얌전히 있다.

"서, 선배! 위, 위험했어요!"

그러나 파수꾼은 뭐가 문제인지 모르겠다는 얼굴이다. 조율사는 슬픈 표정을 했다. 이곳의 어른은 모두 선배와 같다. 열정적으로 움직이지 않는다. 죽음은 예약된 일정일 뿐이다.

비야는 둘은 멍하니 바라보다가 바닥에 주저앉았다. 얼마 전 기억이 지워질 뻔한 박운을 떠올린다. 송은율이 오지 않았다면 자신은 잊혀졌을 것이다. 몸을 바르르 떨었다. 조율사는 눈치를 볼 뿐 말을 건네지 못한다.

이곳의 어른은 모두 똑같다. 주어진 상황에 쉽게 순응한다. 자신 역시 그랬을 것이다.

"……고마워요."

비야는 그 말 밖에 생각나는 것이 없었다.

"오늘도 안 죽었네, 이 나무."

"해진 팀장, 농땡이 부리지 말고 관장님이 부르니까 와라."

"예, 분부대로."

당신은 만약 죽어가는 나무와 마주한다면 어떻게 할 것인가? 그를 살리기 위해 애쓸 것인가? 아니면 죽도록 그냥 둘 것인가? 비가 사납게 떨어지는 날에도 죽지 않고 낙엽 몇 개만 떨구고선 살아있는 나무는 무엇인가 내게 말을 하는 것 같다.

그러나 이곳은 모두 따분한 사람들뿐이다. 도움의 손길을 내줄 사람은 없으며 순리대로 찾아오는 숭고한 죽음을 받아들인다.

한심하다고 생각하는가? 그러나 기억의 숲에서 잡아먹히지 않고 살려면 보여도 보이지 않은 척, 들려도 들리지 않은 척 해야 한다.

나는 내일도 이 나무 앞에 설 것이다. 마지막 순간에 꼭 관을 만들어 주어야 하니 말이다.

탐미

죽음은 조용히 다가온다. 바람에 흔들리는 작은 낙엽이 날아가듯이 숨을 거둔다.

그러나 모든 죽음이 그렇지 않다. 내성적인 죽음은 서서히 목을 조여오며 고통 속에서 발버둥 치는 이들이 있다. 그들에게 죽음은 늘 함께이며 차라리 하루빨리 깊은 입맞춤을 하고 싶다가도 오물이라도 된 듯 깜짝 놀라 도망가버리는 친구였다.

매일 죽기 바라지만 사실은 더 나아졌음하는 판도라 상자 깊은 희망을 뒤적거리다가 까마득한 어둠 속으로 빨려들어 간다. 이런 어리석은 인간들은 죽음과 춤을 추며 아슬아슬 줄다리기를 한다.

우울한 사람이라고 죽음을 매일 생각하지 않는다. 밝게 웃기도 맛있는 걸 먹기도 좋은 곳에 놀러가기도 한다. 그러나 터무니없이 작은 바람에도 와르르 무너진다.

살아가는 건 계속되는 발버둥이다. 죽음에 밟힐까 펄쩍 뛰며 금방이라도 꺼질 듯한 몸을 숨기고 도망친다. 살아가며 나를 만들어가고 자아가 만들어짐에 나는 죽어간다. 개성을 버리고 숨을 죽인 채 죽음에게 들켜선 안 된다. 그렇게 조용히 기다려야한다.

그러나 종종 그러지 못하는 사람이 있다. 짧은 한숨에도 무섭게 달려오는 죽음이 보이는 사람. 그런 사람은 아무리 도망쳐도 살고싶다 말해도 죽을 수밖에 없다. 왜냐면, 삶이 너무나 고통이기에 친절한 죽음의 손을 잡는 편이 좋을 테니까.

미쳐가는 인생에서 무엇이 그리도 소중했냐고 한다면, 그건 무엇일까?

한 여자가 가을볕이 잘 드는 창가에 앉았다. 그는 따뜻한 커피 대신 미지근한 맥주 한잔을 들이키며 작은 수첩에 글씨를 끄적거렸다. 오랜 생각들로 뭉개진 글씨를 따라 별다른 감정 없이 낙엽처럼 마르고 조금 구겨진 시선이 따라간다.

속눈썹이 그늘져 어두운 눈길을 따라 새겨지는 감정이 뭉개진 글씨를 더욱 엉망으로 만들었다. 곱게 빗어 넘긴 검은 머리. 잡티도 점 하나 없이 말끔한 하얀 얼굴. 정돈된 진한 눈썹. 살짝 올라간 눈꼬리와 눈은 원래는 날이 섰을 터였지만 지금은 조금 흐렸다. 흐린 만큼의 시선은 단정했을 글씨를 엉망으로 만들었다.

불을 붙이지 않은 담배 하나를 문 새빨간 입술이 살짝 위로 올라간다. 눈은 여전히 흐렸지만 지은 미소가 꽤 밝아 보인다. 그는 더 손을 움직이지 않고 담배만 만졌다. 몇 번이고 라이터를 가져다 댔지만 붉게 담배가 타들어가는 일은 없었다. 앙상하고 긴 손가락은 몇 번이고 담배만 만졌다. 그녀의 웃음이 뚝 그칠 때까지.

붉은 입술 자국이 난 맥주잔이 여자의 얼굴을 비춘다. 핏기 없이 마른 뺨이 죽은 사람의 피부처럼 느껴졌다.

새까만 눈이 자신을 흘끔 보았지만 애써 가리거나 눈을 피하지 않는다. 담배를 만지던 손으로 잔에 비친 자신을 만졌다. 차갑고 매끄럽다. 물기 어린 눈빛을 뚫어져라 본다. 눈꺼풀이 잠시 끔뻑였다. 여자는 고개를 저으며 잔의 표면을 손바닥으로 쓸었다. 얼굴을 문댔다.

여자의 손목은 앙상했다. 부여잡으면 손바닥 한 마디 정도 남아 넉넉할 정도로 마르고 가늘었다. 손목뿐 아니라 상반신도 얇았다. 잘 다려 입은 셔츠를 목까지 단단히 채웠지만 헐렁해서 작은 움직임에도 옷이 흘러내릴 것 같았다. 허벅지도 종아리도 발목도 별반 다를 게 없었다.

입에 문 담배에 불을 붙여 피웠다면 내뱉는 연기와 함께 날아갔을 터였다.

가벼운 여자의 신경은 거기까지 미치지 않는 눈치였다. 그의 불투명한 까만 눈은 무심히 앞에 놓인 잡동사니만 바라보고 있었다.

작은 책상 위에 놓인 메모지와 형광펜으로 가득한 달력, 작은 엽서들, 검은색 빨간색 볼펜, 맥주잔과 맥주병, 담배, 라이터. 손길에 따라 몇 번이고 지문으로 얼룩진 물건들. 여자는 찬찬히 살피며 눈을 몇 번 끔뻑였다.

시선이 담길 때면 메마른 검은 자국이 얼룩진다. 까맣게 타들어 간 시선이 손가락으로 문대도 지워지지 않고 번진다는 걸 알았지만, 여자는 그저 조용히 자신이 담긴 방을 둘러봤다. 지켜보는 아름도 따라 시선을 옮긴다.

작은 방. 검은 줄무늬가 들어간 녹색 커튼이 하나. 하얗게 칠해진 창 너머 햇빛을 가리려 애쓴다. 커튼처럼 검은 줄무늬가 있는 하늘색 벽지와 작은 침대. 그리고 그 위 하얀 시트와 커다란 갈색 곰 인형. 그 옆엔 오래된 하얀 화장대와 작은 흰 옷장, 갈색 책장과 책상. 바로 앞에는 입에 담배를 문 여자.

잔잔한 음악도 감각적인 그림도 마음을 채워주지 않았다. 멋들어진 문장도 그저 정신없게 헝클어뜨렸다. 그나마 담배 몇 모금은 단순히 한숨 쉬려는 핑계일 뿐이었고 조금 거창하게 붙이면 유일하게 기댈 수 있는 버팀목이었다.

작고 하얀 독한 물건 따위에 몸을 기울이는 건 그다지 바람직하지 않다고는 했지만 상관없었다. 그냥 조금 다급해진

125

마음을 추스리고 싶었다.

잘 정리된 머리나 손톱처럼 헝클어진 머릿속, 가슴속도 빗이나 파일로 문대버리고 싶었다.

하고 싶어, 되고 싶어 담배를 무는 시간만큼 손을 거쳐 갔던 일들이 단순히 담배에 타들어가는 재처럼 쌓여져만 갔다. 간절함도 타들어 이제는 재떨이 속에 몸을 던졌다. 시커먼 재가 머리와 옷을 더럽히는 건 알지만 일어나고 싶지 않았다. 담배는 많았고 그 불이 꺼지면 정말 그때는 검댕이만 남을 것 같았다. 그냥 누워 한숨을 태워야 했다.

문제는 없었다. 그냥 지극히 평범하게 살았다고 자신했다. 누군가를 욕할 만큼 스스로 욕하기는 했다. 누군가가 욕을 하는 만큼 스스로에게, 누군가가 주먹을 쥐고 때리는 만큼 스스로에게. 누가 그랬냐는 질문에 대답할 수 없을 만큼 얼룩져 버렸다.

담배로 인해 이제는 시커먼 기억들이 또 담배에 불을 붙였다. 별것 없는 자신에게 비싸게 엎어줄 시간도 돈도 없었다.

스스로 사랑해라, 노력해라, 감사해라. 지독한 담배연기만큼 쉽사리 가시지 않는 말이었다. 답답함만 자꾸 떠먹여대는 통해 몇 번이고 구역질을 했는지 모른다.

말은 그저 말일 뿐이었다. 결국 남이 어쩌든 상관없이 뱉어낸 오지랖이었다. 뿜은 담배연기보다 더 쾌쾌했다.

한심하고 나약한 사람이 되도 좋았다. 덩그러니 혼자 재떨이 속에 파묻혀도 괜찮았다. 괜찮아. 몇 번이고 되새김하던 말은 그저 빈 위로라는 걸. 씹은 담배처럼 그냥 단지 속상한 마음을 다독이는 찬 손길이었다.

속상했다. 잘하고 싶었다. 언제나 누군가는 앞에 있었고 특별히 잘하지도 그렇다고 못하지도 않는 재능을 쥐고 안절부절 했다. 쌓여가는 담배 수보다 더 목을 졸랐다. 해보고 싶었다. 두 눈을 감기게 하는 현실감이 이제라도 놓으라 했다.

담배 연기로 허둥지둥 시야를 흐렸지만 놀라울 정도로 나아지는 건 없었다. 담배를 피우고 피우는 만큼의 딱 그만큼의 나은 일이 일어나길 바랐다. 안타깝게도 만족감을 따라잡기에 연기는 너무 흐렸다.

여자는 타지 않은 담배를 입에 문 상태로 길게 한숨을 뱉었다. 뱉어진 숨소리의 길이만큼 앙상한 손가락으로 수첩을 만졌다. 까만 글자와 그림들이 엉성하게 그려져 있다.

그는 엉성했다. 항상 어설펐다. 잘하지도 못하지도 않았다. 언제나 그럴듯하게 말하고 행동하기만 했다. 그는 아무것도 아니었다.

그래서 누구도 기대하지 않았다. 스스로조차 자신을 글렀다며 비관했다. 항상 사람이 잘할 수는 없다지만 항상 사람이 못 날수도 있는 걸까. 여자는 담배를 피우는 만큼 생각을 했다. 잘하지 못한다면 아무 소용도 없는 걸까. 그의 담배연기는 생각을 뿌옇게 만들었다. 답을 내리지 못하는 물음은 시간과 머리만 갉아먹었다.

단단히 채운 단추를 풀었다. 헐렁한 셔츠가 축 늘어진다. 손목 아래까지 내려와 손등을 덮는 소매를 끌어올린 여자는 입에 문 담배에 끝내 불을 붙였다. 빨갛게 물들어진 담배 끝이 타들었다. 길게 한 모금. 그 길이만큼의 날숨. 숨을 들이 키고 내쉴 때 가슴이 오르고 내리는 게 느껴질 때면 살아있다는 걸 느꼈다. 천천히, 천천히. 오르내리는 숨을 담배에 붙인다.

여자는 항상 부족한 사람이다. 자신을 그렇게 생각했다. 노력한다고 해봐도 남들보다 덜 힘들게 사는 것 같았다. 그러면서 힘든 내색은 혼자 내는 한심한 사람이라고 생각했다. 무엇 하나 잘하는 게 없었다. 그렇게 생각했다.

여자의 생각은 늘 부정적이다. 스스로 힐난했다. 거울 앞에서 몇 번이고 쓸모없는 자신을 보며 고개를 저었다.

조금 더 나은 사람이 되고 싶었다. 아무것도 할 줄 모르면서 어설프지 않은 척하고 있는 게 아닐까. 그런 자신이 사람들한테 들킬까봐 만만하게 볼까봐 혼자 웅크리고선 가시만 잔뜩 세웠던 걸지도 모른다.

여자는 길게 한숨을 내쉰다. 숨의 깊이만큼 긴 연기가 시야를 어지럽혔다. 뿌연 앞 때문에 좁쌀같은 속눈썹 아래 까만 눈동자는 시선을 어디에 둘지 몰라 헤맸다. 이리저리 눈알은 또로록 굴러갔다.

여자는 죽기로 결심했다. 가느다란 손가락으로 몇 번이고 종이에 적었다. 누구보다 잘 죽어보자.

서투르고 모자란 스스로를 죽이기로 마음먹은 뒤부터 자신이 좋아하는 것들을 적었다. 책, 연필, 담배와 맥주, 그리고 여행. 겨우 이것뿐인가. 입술을 매만지며 생각을 더듬었다. 오래된 기억까지 꺼내 먼지를 털었다.

빛 바란 뿌연 어린 시절 더 많았을 재미난 상상들을 몽땅 빼냈다. 우울한 기분을 달래려는 노력은 더 필요하지 않다. 굳이 즐거운 기분을 내려는 게 아니었다. 그저 아프고 고통스럽다. 더 많이 꺼낼수록.

사람들은 여자가 약하다고 말한다. 아직 덜 힘들어서라고 했다. 조금 더 긍정적으로 살아보라고 했다. 여자의 담배는 나날이 짧아져갔고 그 긍정적인 생각들은 재가 되어 담배를 갉아먹는다. 처음부터 우울함을 이겨낼 방법은 없었다.

약한들 그게 무슨 상관일까. 담배처럼 툭하니 부러질 것 같은 여자에게 소리쳐봤자. 우울보다 입으로 내뱉어지는 말들이 그녀를 휘감았다.

많은 다짐과 몇 번의 번복으로 살아가는 시간과 감정 소모는 힘이 들었다. 소모한 만큼의 결과도 없다. 이보다 낭비는 없다. 그래서 여자는 죽기로 결심했다. 그보다 절약도 없다고 생각했다. 괴로워. 비참해. 끔찍해. 반복했다. 죽는 것보다 사는 게 더 나을 리가 없다.

그렇게 생각했다. 나날들이 괴로웠던 그는 안에서부터 죽어갔다. 아름은 죽은 눈을 한 여자를 본다. 차라리 그냥 다 엎어버리지. 싹 다 치워버리지 그랬어. 눈물이 마를 날이 없다. 항상 괴롭다. 늘 피로했다. 쌓여가는 하루들은 그를 물속에 빠뜨렸다.

괴로운 날을 꺼내면 보는 사람도 괴로울 것 같아서 입을 다물었다. 늘 재밌고 보람차고 행복 수 없는 건 알지만, 자신이 만들어낸 잿빛 생각과 감정이 더럽게 덧칠될 것 같았다.

글을 읽기도 글을 쓰기도 벅차고 힘들었던 하루가 쌓이고 쌓이다 터졌다. 어느 날부터 완전히 잊은 듯이 그 하루들은 사라졌다. 모두 감쪽같이. 사라진 뒤부터 그는 조금도 괴롭지 않았다. 죽고 싶지도 않았다. 그냥 아무런 감흥도 없다.

그렇게 매일 아침에 잠에서 깨어나면, 죽기로 결심했다.

따사로운 햇볕이 눈을 찌르고 머리맡에 놓아둔 핸드폰이 요란한 소리를 낸다. 막 몸을 일으키는 데 머리가 빙글빙글

돌았다. 왼손으로 이마를 꾹꾹 누르며 오른손으로 핸드폰 알람을 끄면서 죽고 싶다는 생각이 들었다.

일어나 세수를 하는 데 뜨거운 물이 나오지 않아 차가운 물로 세수를 했다. 빙빙 돌던 머리가 깨어지는 기분이 들었다. 얼음을 갈아 만든 것 같은 감촉이 싫어 역시 죽기로 했다.

죽기로 결심했으니, 마지막인 오늘을 위해 삼년 전 샀던 원피스를 꺼냈다. 크림색 원피스는 구겨지고 색이 바라져 그다지 훌륭한 몰골은 아니었다.

그 때는 분명 예뻤는데 오래도록 옷장 안에 있었더니 냄새 며 색이며 훌륭하게 본모습을 잃었다. 가슴 부분에 달아놓은 하얀색 리본 역시도 성심성의껏 구겨졌다. 차라리 집 근처 꽃집에 가 말라비틀어진 꽃 한 송이를 받아 달아두는 게 더 낫다.

그래도 원피스를 차려입고 짧은 머리를 정돈하니 마음이 조금 들떴다. 가장 좋아하는 색깔의 귀걸이를 하고 가장 좋아하는 화장품으로 화장을 했다.

몇 달 전 생일 선물로 받은 보라색 립스틱을 덕지덕지 발랐다. 예나 지금이나 손재주가 없다. 립스틱은 잘 발리지 않았다. 끝이 뭉개져 훌륭하게 닳아버린 립스틱도 이제 작별이다. 그래도 마지막이라, 작은 노란색 파우치 안에 넣었다.

헐값에 산 목걸이를 걸고 칠이 벗겨져버린 은색 반지를 오른손 중지에 꼈다. 어디선가 산 비즈 팔찌까지 두어 개를 왼팔에 꼈다. 사이즈가 조금 컸다. 초록색, 파란색, 주황색 비즈가 움직임에 따라 달랑거린다.

현관으로 가는 길에 책상에 올려둔 선인장에 분무기로 물을 줬다. 이미 말라죽었지만 치우지도 못해 습관적으로 물을 줬다. 며칠 전 친구가 사준 낮은 운동화를 구겨 신었다. 새하얀 운동화의 새하얀 끈은 길다. 쉽게 때가 타서 조심히 신어야 했다. 끈을 다시 두어 번 묶은 뒤, 느릿느릿 밖으로 나갔다.

아침은 복잡하다. 잘 말려둔 날씨는 보송보송했다. 살살 부는 바람결도 정말 좋다. 하지만 하늘 아래 사람들은 이리저리 뛰어다니거나 잠에 취해 저기압이다. 어두운 얼굴을 마주 보지 않는 편이 좋다.

딱히 갈 곳이 있지 않아 집주변만 왔다갔다. 빙빙 돌아다녔다. 크림색 길고양이 한 마리가 빤히 바라본다. 노란 두 눈과 마주쳤지만 도망가지 않았다. 손을 흔들거나 말을 걸 정도로 고양이를 좋아하는 건 아니라, 그냥 친하지 않은 이웃집 고등학생을 보듯이 고개만 까딱이고 스쳐지나갔다.

수많은 골목길을 몇 번이고 지나갔다. 체력이 많지 않아

앉아있을 곳을 찾아보았다. 먼발치 버스정류장이 보였지만, 사람들이 옹기종기 모여 있다. 포기하고 발길을 돌렸다. 들고 나온 가방 안을 뒤적거렸다.

 새빨간 가방 안에는 갈색 장지갑과 보라색 립스틱을 넣어둔 노란 파우치가 있다. 장지갑을 꺼내 잔돈을 확인했다. 근처 작은 카페에서 음료를 살 수 있을 만큼의 돈이 들어있다. 카드는 어차피 쓰지도 못한다. 잔돈을 손에 쓸어 담아 카페로 들어갔다. 얼음이 가득 들어간 초콜릿 한 잔을 주문했다.

 최근 덧칠했는지 노란 테이블에는 새 페인트 냄새가 난다. 음료가 나올 때까지 테이블을 손으로 퉁퉁 쳤다. 카페 안은 익숙한 아이돌 가수 음악이 들렸다. 맑은 목소리가 통통 거린다. 직원이 음료를 가져다 줬다. 맛있게 먹으라며 웃는 그에게서 짙은 향수 냄새가 났다. 새하얀 얼굴에서 묻어나는 상냥함과 잘 어울린다.

 차가운 초콜릿은 너무 달고 차갑다. 빈속을 가득 채우는 차가운 느낌이 꼭 세수한 것 같은 기분이다. 어느새 아이돌 노래가 바뀌고 느릿느릿 발라드가 울려 퍼진다. 깊게 풍기는 감정을 담은 목소리가 슬프다.

 초콜릿을 모두 비우고 자리에서 일어났다. 또 직원이 방긋방긋 웃으며 인사를 했다. 향수가 짙게 풍기는 것 같다.

밖은 아직 정오가 지나지 않아 조용하고 발라드 마냥 느리다. 도로에 차도 거리에 사람도 거의 모이지 않았다.

딱 죽기 좋은 시간이다. 육교가 좋을까, 높은 빌딩으로 갈까. 끈을 살까. 약을 먹고 미룬 잠을 자볼까. 칼을 갈아볼까. 어떻게 할까. 어떤 게 좋을까. 파란 하늘이 붉어지면 할까.

하늘은 여전히 파랗고 노을이 오기도 아직 한참이나 남았다. 자꾸 미뤄봐야 좋을 일이 없다. 어차피 마음을 먹은 걸 미루기도 싫다. 다시 집으로 향했다. 집으로 가는 길에 해가 질 리가 없다. 그림자는 더 빠르지도 느리지도 않는 걸음으로 따라왔다. 덥다.

크림색 원피스는 덥다. 리본이 길리적거린다. 운동화 끈은 자꾸 풀어졌다. 몸을 숙여 묶는 게 귀찮다. 땀이 줄줄 흘러 간만에 한 화장도 다 흘러내린다. 파우치를 꺼내 기름종이로 땀을 닦아냈다.

손거울로 얼굴을 살펴보니 그렇게 훌륭한 모양새는 아니다. 보라색 립스틱을 꺼내 다시 립스틱을 칠했다. 역시나 훌륭하지 못한 솜씨다. 차라리 지워지는 게 낫다.

엉망이 된 훌륭한 몰골로 죽는 것도 나쁘지 않을 것 같다.

다른 골목길로 들어갔다. 구불구불한 길을 지나갔다. 저 멀리 늦게 개장한 가게가 보인다. 꽃이 담긴 화분을 내려놓는다. 활짝 핀 꽃들이 예쁘다. 가게에 점점 다가가니. 가게 주인이 활짝 웃으며 인사를 건넸다. 몇 번 얼굴을 마주친 적이 있다. 크림색 긴 고양이를 닮은 얼굴이라 익숙하지만 인사를 건네지 못했다. 그러거나 말거나 꽃집 주인은 화사하게 웃고 인사한다.

이번에는 인사로 끝나지 않았다. 무슨 생각이 들었는지, 불러 세우고는 자신은 가게 안으로 쏙 들어갔다. 잠시 후, 한 손에 서너 송이의 튤립을 들고 왔다. 노란 리본으로 묶은 꽃은 갓 핀 것처럼 보인다.

선명한 붉은 색깔이 저녁노을 빛 같다. 꽃집 주인은 튤립을 손에 쥐여 준다. 자신이 키우는 튤립 중 가장 늦게 핀 아이들이라고 했다. 언제 필까 기다렸는데 드디어 만개했다며 기뻐했다. 그러니까, 가져가라는 맥락 없는 말을 하고 가게 안으로 다시 쏙 들어가 버린다.

꽃이 떨어지지 않도록 조심히 잡았다. 곱게 물든 꽃잎 색이 예쁘다. 그래서 나는 오늘은 더 살기로 했다.

하루가 시작되면 가장 먼저 머리를 쥐여뜯는다. 또 아침이다. 산발이된 머리를 다 뽑을 기세로 마구마구 헝클인다.

아침은 소란하다. 밖은 밝고 집안은 투정으로 잔뜩. 귓구

멍에 이어폰을 꽂고 엉금엉금 방을 나간다. 방을 나가자 국
그릇을 든 동생이 뭐라고 외친다. 덩달아 밥을 먹던 엄마가
돌아보며 불러세웠지만 무시하고 화장실로 들어갔다.

가족과의 대화가 끊긴 건 고등학교 입시가 끝난 후였다.
진학하고 싶다 말했지만 집안 형편을 대며, 한 사람밖에 보
내줄 수 없다고 장남만 보냈다.

딱히 대학이 엄청 가고싶은 건 아니었다. 그냥 그래도 가
보고 싶었다. 고등학교를 졸업하고 이렇다한 직장은 구하지
못했다. 아르바이트를 조금씩 하면 그렇게 1년, 2년이 흘렀
다.

세수를 하고 다시 이어폰을 귀에 꽂은 채로 방에 들어갔다.
이리저리 던져둔 옷더미에서 좀 덜 더러운 옷을 꺼내 입었
다. 고무줄로 긴 머리를 돌돌 말고 핀으로 고정 시킨 뒤,
얼마 남지 않은 화장품으로 화장을 했다. 작은 거울로 얼굴
을 살피고 다시 음악을 들으며 집을 나갔다.

3개월 전 겨우 구한 분식점 아르바이트는 돈을 쥐꼬리의
절반치 주면서 이것저것 시키는 게 많았다. 그래도 그거라
도 어디겠어.

사장은 늘 오후에 나타났다. 다른 알바생은 받지도 않아
서 개장하고 폐장하는 것 까지 나의 몫이다. 오후에 나타난
사장이 하는 일이라고는 어묵을 하나 꺼내 입에 쑤셔넣고

돈계산을 하고 은퇴하고 집에 눌러붙은 남편 욕이 다였다.

남의 집안 사정따위 별로 관심도 없다. 말한다고 그 소원이 이루어지는 건 아니지만, 만약 소원을 들어줄 수 있다면 귀찮으니 들어주지만. 일개 알바생인 할 수 있는 일은 오징어 튀김을 기름에 튀기는 게 다였다.

하여간 별로 깊게 생각하기 싫다. 이어폰을 끼지도 못하고 들려오는 소리가 시끄러운 음악이라 생각하는 쪽이 편했다. 어차피 그의 말은 대답을 바라는 게 아니다.

길고 긴 시간이 지났다. 밤이 거뭇거뭇 내린다. 앞치마를 벗고 가게를 정리했다. 불을 끄고 나오자, 주변의 소음들이 몰려든다. 다시 귀에 이어폰을 꽂았다. 누군가 부르는 소리가 들렸지만 무시했다. 빠른 걸음으로 걸었다. 그러자 누군가가 팔을 붙잡는다. 이어폰을 확 잡아당기고서 고래고래 소리를 쳤다. 알아 듣는 건 어렵지 않았다. 온갖 저급한 욕을 해대며 어딘가로 끌고갔다.

발에 힘을 주고 끌려가지 않으려 버텼지만 쉽지 않았다. 밑창이 얇은 신발이 아플 정도로 질질 끌렸다. 주변을 둘러봤지만 누구도 도와줄 것 같지 않았다. 아 그냥 죽고 말면 될까. 머릿속에서 생각이 스칠 즈음 주변은 아무것도 보이지 않았다.

정신을 차렸을 때, 하늘은 새까맸다. 끌고 가던 누군가도 보이지 않았다. 다리가 아프고 이상한 냄새가 났다. 벽인지 뭔지를 짚고 일어나 주변을 훑었다. 처음 보는 낯선 곳이다. 죽기라도 했나. 죽으면 아프지는 않을텐데. 생각해보니 죽어 본적이 없다.

"너는 죽었어."

아이 같은 목소리가 어디선가 들려왔다. 아, 아인가. 주변을 다시 봐도 아이는 없다.

"너는 죽었어."

굴곡 없이 밋밋한 목소리가 울렸다.

"하지만 원한다면 살려줄게."

"신?"

그건 아니야. 아이는 내 질문에 짤막하게 대답했다. 그는 다시 아이에게 물었다.

"그러면 요정?"

"생각보다 순수하네"

별로 그렇지 않다. 하여간 이 대화는 더 하고 싶지 않다. 무엇보다 이미 죽었다면 굳이 살 필요가 있을까. 그렇게 또 힘을 빼고 더럽고 찬 바닥에 주저앉았다.

"너는 살고 싶지 않은거야?"

"굳이 그러고 싶진 않아."

"네 행복을 책임진다고 해도 말이지?"

말이라고 쉽게 하네. 내가 말했다. 그런 건 함부로 약속하는 게 아니야. 아이가 대답했다.

"네가 원하는 게 뭔데? 부자가 되는 거? 대학에 가는 거? 집에서 나가는 거?"

"……딱히? "

"하고 싶은 것도 없어?"

별로 그런 걸 생각하고 살아본 적이 없다. 그러다가 가슴 한 구석이 젖어가며 떠오르는 것이 생긴다.

"내 이름은 바라. 기억의 미식가라고 해. 네 기억을 주면, 네가 바라는 것을 이뤄줄게."

당신은 지금 열 받은 정원사들 사이에 있다. 그들은 사라진 나무를 찾고 있다. 그들 중 한 사람이 말한다.

"기억이 제멋대로 사라질 리 없어. 이건 다 기억을 가진 당사자가 결국 자기 기억을 숨기고 싶은 거라고. 그러니까 기억의 관리자 누구를 뒤져도 해결될 일이 아니야."

"그러면?"

"회상하게 해야지. 몽상가가 그런 일에 탁월하지만 쟤네는 항상 정신을 두고 다니니까. "

"유성임, 걔네 네가 만나라. "

"하, 진짜 때려치운다."

유성임 팀장이 불만스럽게 말했다. 그러나 그는 일을 떠맡긴 채 움직인다. 당신은 그가 싫은 소리를 못하는 사람인 걸 잘 알고 있다. 그래서 그가 가는 대로 따라갔다.

당신은 이전에도 만난 세라와 재회한다. 하지만 그는 그웬이란 사람에게 데려가 줄 뿐 이번에 함께하지 않는다.

그웬은 청록색 머리를 비녀로 올린 여자로 굉장히 독특한 분위기를 풍겼다.

"오."

높낮이 없는 중저음의 목소리가 보기 좋게 작은 입에서 흘러나왔다.

"친애하는 우리의 벗이군요. 반갑습니다. 여러분. 그러나 안타깝게도 아직 본인의 일이 끝나지 않았습니다. 이번에 망가진 기억이 너무 뒤죽박죽이라....꿈이란 게 그렇습니다. 잠시 생각을 비울 때 넘쳐흐르고, 이윽고 정신을 타리면 흐트러지죠. 아주 희미하고 아주 연약하기에 한번 놓치면 다시 기억될 날이 언제인지 알 수가 없습니다. 그래서 뇌라는 것이 휴힉을 자주 취해야하지요. 그래서 무슨 일로 오셨나요?"

"잃어버린 기억 문제로 자료를 보냈는데 봤어?"

성임이 물었다. 그의 푸른 눈이 몽롱하게 그를 보다가 살짝 미소를 그려낸다.

"아아, 보았지요. 그 기억을 찾아 본인이 명상을 하였으나, 도무지 갈피를 잡을 수 없었습니다. 조금 더 확실한 실마리가 필요하지요. 그래서 다른 몽상가 벗들에게 연락을 했습니다. 그러니 조만간 소식을 들을 수 있을 것입니다."

안타깝다는 듯이 중얼거렸다. 유성임은 몽상가들을 좋아하지 않았다. 늘 말이 많고 소심했으며 말 하나에 너무 많은 단어를 썼다. 도무지 그 어수선한 말 속에서 본론을 끄집어내기가 힘들었다. 라벤더 씨는 부디 그가 사람을 때리지 않고 이야기를 끝내길 바랐다.

"줄 수 있는 건 다 줬어. 조금 더 생각을 해봐."

"오, 성임양, 모든 건 순리가 있습니다. 본인 역시 최선을 다하고 있지요. 그대가 어떤 심정인지 모르지 않습니다만, 부디 조금만 더 인내를 가져주길 바랍니다."

"김지환이 죄다 거짓말만 하고 있어. 거짓말과 진실을 어떻게 구분하지?"

"그건 본인의 양심 문제죠."

몽상가가 맨바닥에 주저앉았다. 키가 큰 그는 그래야 시선이 맞았다.

"양심이 부족한 자라면 양심이 아닌 역린을 건드려야지요. 그가 가장 수치라 여기는 것, 가장 치졸하게 구는 부분을 찾아야합니다. 우리 몽상가들은 그저 보면 답을 헤아릴 수 있지만 정원사는 아니지요. 그래요, 진심은 늘 어려운 부분이죠. 알지 못하게 숨겨두어도 결국 모습을 드러내게 되어 있기 마련입니다. 그러니 조금만 더 제 예기를 들어보시죠."

그웬은 당신을 빤히 보다가 다시 말을 이었다.

" 이번 도난 사건을 마주했을 때 소름이 끼쳤습니다. 아무래도 그렇지요. 남의 기억을 훔치는 건, 아주 질이 나쁘니 말입니다. 아무튼 김지환 씨의 주장대로 실제로 기억이 없습니다. 왜 그런지 저도 찾아보려 했으나 너무 어려웠습니다. 하지만 본인은 해내었습니다."

"무슨 의미지?"

유성임이 답답한 듯 노려본다. 그웬이 인자한 얼굴로 대답한다.

"도륙 낸 기억의 흔적을 못 찾을 리가요. 모든 기억의 시작은 태어남에서 비롯됩니다. 탄생의 순간, 우리는 기억이란 것을 가지게 되고, 아무리 기억을 잃어도 다시금 재기합니다. 그런 흔적의 앞뒤를 이어보면 오, 답이 나온답니다."

기억을 잃었을 때, 우리는 그 사람이 다른 사람이라 규정을 짓기도 한다고 그웬이 말했다. 다소 뜬금없는 말에 유성임은 진짜 혀를 자르고 싶어했다.

"허나, 기억이 전부가 아니지요. 사회는 사람과 사람으로 이어진 것이며 기억 역시 그러합니다. 내가 가진 기억이 없다고 타인이 그러할까요? 아닙니다. 그래서 본인은 김지환 씨가 아닌 그의 주변 인물의 기억을 찾아 들어갔습니다."

당신은 이제부터 긴 이야기를 듣게 될 예정이었지만 유성임의 짧은 인내심 덕분에 요약본을 읽는다.

"그러니까, 한 마디로 그의 기억을 잃은 시점에서 어떤 여자를 만난 것으로 보입니다."

"누구지?"

"오, 나의 사랑."

그웬이 부드럽게 웃었다.

"본인을 속이지 말아요. 당신이 원하는 대로 되지 않았습니까?"

당신은 이제 성임을 본다. 성임은 웃고 있지 않다. 그러나 점점 일그러지는 것을 확인한다.

"내가, 기억이, 없어지길 바란다고?"

"당신이 이 자리에 있는 이유가 바로 그러한 사유 때문이잖습니까."

그웬이 웃었다. 성임은 입술을 깨물고 뒤를 돌았다. 당신은 그를 알고 있다. 아주 잘 알고 있다. 그가 자신의 기억의 나무로 갈 것이란 것도 말이다.

당신은 한 기억의 나무로 갔다. 그곳에는 나무를 걷어차려는 성임과 그를 말리는 라벤더가 있다. 당신은 그 꼴을 비웃으며 손을 흔들었다. 성임은 들고 있던 삽을 내던지려 한다. 당신은 그때 한 가지 생각한다.

"그러고 보니 이상하네? 정원사는 자기 기억을 알고 있으면 안 되는데?"

".......내 기억 아니야."

성임이 고개를 돌렸다. 거짓말을 한다고 생각했다. 당신은 빈정거린다. 나무가 멋진 등나무라고 했다. 라벤더가 당신을 말린다.

"당신은 지금 우월감에 취하려고 한다. 서열을 세우고 싶은 것인가?"

당신은 그 말에 웃음기를 지우고 돌아선다. 떠나려는 당신에게 라벤더가 묻는다.

"당신은 왜 성임을 괴롭게 하는 거지? 좋아하는 것 아니었나?"

그 말에 당신은 얼굴이 달아오른다. 울컥했지만 더 대꾸하지 않는다. 대신 평소처럼 웃으려 애쓰며 자리를 뜬다. 당신은 이제 급하게 어딘가로 걸어간다. 그곳에는 한 그루 나무가 있다. 당신은 주변을 둘러본다. 그러자 나무 뒤로 한 그림자가 나타난다. 당신은 그를 알고 있다.

"바라."

조용히 이름을 불렀다. 당신을 향해 모습을 드러낸 이가 사과 타르트를 건넨다.

"당신을 위해 준비했어요. 김지환 씨가 쓴 '고백'입니다."

김지환은 완전히 다른 사람 같아졌다. 매일 글을 썼고 이른 시간에 아르바이트를 나갔다. 밤에도 야간 아르바이트를 했다. 배달은 특히 고됐는데, 그래도 괜찮았다. 그는 죽다 살아난 사람 같이 개운해 보였다. 주변 사람들도 이 변화를 달가워했다. 그러나 그는 크림색 원피스를 입지 않았다.

유성임은 맥주를 마시며 그를 멀리서 지켜봤다. 선택된 정원사만이 숲을 나와 인간 세계를 볼 수가 있다. 유성임은 자신이 맞춰둔 작은 시계를 계속 살폈다. 긴장감이 팽팽했다. 그의 곁에는 늘 보이던 라벤더가 보이지 않았다. 정말 혼자다. 그래서일까? 그는 외로워 보였다.

김지환의 하루는 늘 정신이 없었다. 그래도 글을 쓸 때 행복해 보였다. 김지환은 여러 사이트에 쓴 글을 올렸고 조회

수가 잘 나올 때 기뻐했다. 어떨 때는 좋은 감상이 적힌 댓글을 받았다. 그럴 때면 너무 기뻐 울었다.

유성임은 지루한 티비처럼 바라본다.

"매일 죽기 바란 사람이 갑자기 살기 바란다? 웃기고 앉았네."

그의 중얼거림은 누구도 들을 수 없었다. 유성임은 날카로운 시선으로 김지환을 뜯어봤다.

"약물도 없이 얼마나 버티는지 보자."

그러나 그 말을 뱉는 순간 자신이 졌다는 걸 그는 몰랐다.

당신은 지금 바라와 함께 있다. 바라는 당신에게 매일 맛좋은 디저트를 준다. 그것은 모두 김지환의 기억의 맛으로 무척 시큼했다.

"요즘 달라졌다고 들었는데 맛들이 하나 같이 좀 그렇네."

"쓴 게 약이랍니다. 이건 가져온 기억이기 때문에 맛이 그런 겁니다. 다른 사람이라면 모를까, 당신이라면 좋아할 줄 알았는데요?"

"좋아."

당신이 긍정하며 다시 호박 타르트를 맛본다. 달지 않고 시고 쓴 맛이 혀를 감싼다. 먹을수록 향이 짙어지고 맛이

146

풍부해지는 이것을 우리는 '흡입'이라고 말한다. 당신은 중독된 것처럼 그것을 흡입한다.

"천천히 드세요. 아직 많답니다."

"이게 전부 한 사람의 기억일 수 있어?"

"그야, 생각이 많은 사람은 잡념도 많고 감정도 많으니까요. 매일 죽기만 기다린 사람인만큼 다르긴 다르죠."

당신은 그 말에 고개를 끄덕인다. 혀는 이미 매료되었고 심장이 뛰지만 배는 충분한 식사에 만족했다. 당신은 기억의 숲에서 식사가 불필요하다는 것을 알았다. 그러나 지금 당신은 타인의 기억을 먹고 있다. 그것에 죄책감은 보이지 않으며 오히려 즐기고 있다. 당신은 지금 무척 즐겁다.

"이상해."

유성임은 며칠이 지나도 변한 게 없는 김지환을 응시한다. 늘 성격이 좋지 않단 말을 들어도 그렇다고 사람의 멱살을 잡아 진상을 알아보진 않는 그는 지금 굉장히 갑갑했다. 몽상가 그웬은 이 모든 게 자신이 바라서라고 말했다. 하지만 그건 희롱이다. 늘 남들과 좋게 이어지지 못하는 그를 괴롭히는 것이다.

유성임은 성격이 나빴다. 늘 신경질적이고 강박적이었다.

모든 일이 수월하게 갈 수 없다는 걸 알아도 늘 빨리 처리
되길 바란다. 그래서 같은 정원사들끼리도 사이가 좋지 않
았다.

"김지환!"

아르바이트 중인 김지환에게 훤칠한 사람이 다가왔다. 유
성임은 이 사람을 알았다. 이름은 선우 지우로 오랜 지환의
친구였다.

"오늘 같이 가주기로 해서 고마워."

지우는 정말 기뻐 보였다. 김지환은 잠깐 기다리라면서 점
장에게 부탁해 평소 시간보다 일찍 가게에서 나왔다.

둘은 검은 옷을 입고 택시를 타고 어딘가로 향했다. 지환
은 빨간 장미를 들고 있다. 택시 기사는 처음엔 어디 고백
하러 가냐고 장난스럽게 물었다가 장소를 듣고 입을 다물었
다. 성임은 둘이 도착한 장소를 보고 자신의 치마를 정돈했
다. 그곳은 아주 넓고 조용한 납골당이었다.

-선우 비야(2003.11.12.-2014.12.05.)

김지환은 꽃을 내려놓고 손을 흔들었다.

"비야, 오랜만이야."

"지환 오빠 기억하지? 요즘 글 쓴대. 너 얘 글 좋아했잖
아."

선우 지우가 씩씩하게 말했다. 그는 지환의 어깨를 두드렸

다.

"이 오빠가 등단하면 너 꼭 보여준대."

"응, 그렇게. 약속해."

김지환이 맑게 웃었다.

".......뭐야 이게?"

성임은 고개를 갸웃거렸다. 이해할수록 거북해졌다. 김지
환이 선우 비야를 알고 있다고?

그는 무어서인가 찜찜한 기분이 들었다. 그래서 더 보지
않고 자리를 떴다. 장소를 빠져나온 그는 시계를 돌린다.
곧 하늘과 땅이 동시에 일그러진다. 성임은 손을 들어 하늘
을 잡는다. 그러자 맑은 하늘빛이 흘러내리고 커다란 숲이
모습을 드러냈다. 그는 곧 손가락을 튕겼다. 숲까지 기다란
계단이 생긴다. 얼른 계단을 옮긴 그는 다짜고짜 라벤더를
찾았다.

"비야 못 봤어?"

"그는 오늘 바쁘다. 김지환의 기억을 지키고 있다."

"조율사도 못 봤다고 하고. 여기 숨을 데가 어딨다고 안
보이는 거야?"

라벤더가 고개를 갸웃거린다.

"왜 그를 찾지?"

"아무래도 이번 실종 사건, 걔랑 관련 있는 것 같아."

"그래서 수사를 뒤로 하고 온 것인가? '

" 야, 걔 여기 온 시간이랑 기억이 실종되기 시작한 시기
가 겹쳐. 사망일 봤다고. "

성임이 다급해 보였다. 무엇이 문제일까? 라벤더가 눈을
찡그렸다.

" 겨우 그것으로 동료를 의심하는가? "

" 김지환이 변한 거랑 기억이 사라지는 거랑 선우 비야가
여기 온 거랑 잘 맞아 떨어지니까! 말꼬리 잡지 말고 너도
걔 찾아! "

당신은 지금 걷고 있다. 기억의 숲을 말이다. 당신은 한
그루 나무를 떠올린다. 매일 들여다보는 죽지 않는 나무를
말이다. 거기선 아주 맛있는 버섯이 나온다. 당신은 그것을
먹고 싶어 한다. 미식가에게 가져다주면 분명 맛있게 요리
될 것이다.

그러나 당신의 기대와 달리 그곳에는 고양이 한 마리가 기
다리고 있었다. 고양이는 당신을 부른다.

" 조해진 팀장. 이 나무는 내 것이야. "

당신은 그저 미소를 짓고 있다. 기분이 나빴다. 고양이 따
위와 이야기를 하고 싶지 않았다. 그래서 도끼를 들었다.

"난 당신을 내내 지켜봤어."

고양이는 신경 쓰지 않고 말을 이었다.

"왜 기억을 훔치고 다니지?"

고양이가 물었다. 당신은 그저 웃었다.

조해진은 웃었다. 그냥 두고 볼 수가 없어서 그랬어.

기억의 정원사는 후회 없는 얼굴이다. 라벤더는 조용히 그를 봤다.

"자기 자신이 누군지도 모르는 사람들이 불쌍하다고 생각해요? 저는 이 모든 순간과 이 모든 감정을 숨겨야 하는 사람들이 안타까워요. 당신들은 모르죠. 아무것도 몰라요. 단지 이 숲에 산다는 이유로."

조해진의 옅은 갈색 눈동자가 햇빛에 반짝거린다.

"어리석은 사람. 불쌍한 사람. 스스로를 그렇게 가엾게 여기면서 깨닫지 못하다니, 얼마나 슬퍼요? 이 정원에서, 이 숲에서 정원사만큼 불쌍한 이도 없죠."

조해진은 슬픈 얼굴을 한다. 마지못해 시작한 일에 누구보다 열심히 일했다. 그런데 왜 그랬나, 왜 기억을 훔쳤나.

라벤더는 그를 이해하지 못했다. 그래서 조용히 그를 응시했다.

"다들 자신을 사랑하기 때문에 죽고 싶고, 안타까워 여기죠. 그런데 또 자신에게 모질게 굴죠. 난 돕는 거죠. 후회 없이 살기 위해 노력하라고요. 그들의 삶을 지지해요."

라벤더는 귀를 기울였다.

"사는 건 너무 힘든 일이에요. 우리는 결국 계속 달리고 달리며 죽음을 향해가죠. 본인이 원한 건지 타인이 정한 건지 모를 길을 뛰지만 그 노력 끝에 있는 건 죽음이에요. 그저 우리는 죽기 위해 태어난 거죠."

조해진의 슬픈 얼굴엔 눈물 자국이 없었다. 퍼석했다.

"그러나 산다는 건 아무런 이유 없이도 가치가 있어요. 삶이 그래요. 살아가는데 필요한 이유는 없어요. 우리는 결국 죽을 것이고, 결국 죽기에 그 찰나의 시간이 얼마나 아름답나요. 꽃은 지기에 아름답죠. 사시사철 푸를 것 같은 나무도 나이를 먹으면 해지는데 인간 역시 마찬가질 수밖에요. 세상에 영원한 건 없고 결코 지기에 아름다워요. 그래요 왜 기억을 건드렸냐고 물었죠."

조해진은 천천히 라벤더에게 다가왔다. 용감한 라벤더 씨는 정원사를 응시한다.

"모든 건 끝이 있기 때문이에요. 우리가 선택한 일이 그렇게 잘 못 됐나요? 도망가는 게 무슨 죄인가요? 회피로 얻은 게 불명예라 하더라도 우리는 우리가 죽는 순간에 가진 감정이 두려움이라는 걸, 알고 있잖아요. 그래서 그래요."

조해진은 두 눈을 감고 두 손을 가슴에 얹었다.

"이 심장이 뛰고 죽는 순간까지 우리는 두려움만 갖고 있지 않죠. 그 누가 죽음을 두려워하지 않나요? 용감한 차사이자 독립투사였던 천이화 팀장님이 그럴까요? 아니요. 모두 끝을 두려워해요. 그런데 우리는 뛰어들었죠. 세상이 우리를 몰아세우고 우리는 밀리는 대로 떨어졌어요. 그게 죄라면 세상은 어떤 벌을 받나요? 이 숲은, 이 정원은, 이 기억은 우리에게 그랬듯 그들에게도 죄를 정해주나요? 평생 남겨진 채로 남의 기억을 뒤적거리며 감정과 싸워야하나요? 우리는 무슨 죄를 지었나요?"

라벤더는 그 질문에 마땅히 대답할 말을 찾다가 무심코 말했다.

"날 외롭게 만들었어."

조해진은 마른 얼굴로 그를 본다.

"난 여기에 있는데 날 알아보지 못하지. 난 그곳에 있었어. 책임은 누구에게도 없지. 그래 스스로를 상처 입히는 게 누구 책임인지 우리는 정할 수 없어. 그게 죄일까, 죄라면 그렇게 만든 것은 어떻게 될까."

라벤더 씨는 눈을 내리깔았다.

"세상이 이토록 부조리한데, 우리는 어찌 살아있는가. 무엇을 바라보고 또 생각해야 할까."

조해진이 중얼거린다.

몽상가도 알지 못할 거다. 왜냐면 인간은 감정에 충실하다. 감정적이기에 이성이 있고 지성이 있고 죽음을 고민한다. 감정적이기에 인간은 살아가고 죽는다. 우리가 이곳에 있는 건 죄를 지었기 때문이 아니다. 죄는 이것이 아니다.

라벤더 씨는 문득 그런 생각이 들었다.

"우리의 죄는 존재하지 않는다. 우리는 그저 기억을 버렸고 그 기억을 다시 되찾기 위해 이곳에 있는 것이다. 우리는 기억을 버렸다. 그 귀한 것을 버리기로 했다. 세계가 존재하는 이상 절대 지워지지 않을 것을 버렸다. 우리의 삶을 세계를 찢고 태우려 했다. 그래서 우리는 이곳에 있다. 기억이 존재해야 인간은 살고, 기억이 존재하지 않으면 끝을 맺을 수 없다. 그래서 이곳, 이 숲은 우리를 세계에 두지 못했다. 우린 이곳에 머문 미련이다."

왠지 가슴 속에서 비참한 단어가 떠올랐다. 외롭다. 두렵다. 애절함. 살려줘. 나를 살려줘. 누군가를 향한 구원, 외침, 발버둥 끝에 닿은 기억의 숲. 이곳에서 우리는 멈춰버린 자신의 삶을 찾아야 한다.

"처음부터 그래야했던 것이지."

라벤더 씨가 중얼거렸다. 중요한 걸 잊고 있었다. 기억은 영혼을 담는다. 영혼은 기억을 닮는다. 그 모습이 본래의 자신이 아닐 수 있다.

"그래서 이상했어. 네가 네가 아니란 사실이 이상했어. 네 이름은 그것이 아닌데, 왜 그렇게 불릴까. 왜 나는 기억할까. 나는 삶을 버리지 않았어. 난 내 기억이 중요하다. 너와 그와 모두와 함께한 것이 중요하다. 그것을 추억이라 부르는가? 그렇다면 나는 추억에 젖었다. 그래서 너희를 찾았다."

작고 마른 고양이는 곧 커다랗게 자랐다.

고양이는 어떤 생각을 하고 살지 인간들은 모른다. 고양이 역시 인간을 이해할 수 없다. 서로의 말을 모르고 서로의 마음을 모르지만 결국 사랑했다는 건 느낄 수 있다. 그래서 라벤더 씨는 이곳에 왔다. 자신의 추억을 찾기 위해, 잃어버린 기억을 찾으러 왔다.

"나는 기억한다. 모든 것을. 모든 것이 왜 그토록 망가졌는진 모른다. 하지만 결국 돌아올 것을 믿는다. 왜냐하면, 그것은 너무 따뜻하고 포근했다. 그건, 아름답다. 그래, 그건 반짝거렸어. 그랬어."

조해진은 고양이에서 인간이 된 이를 바라봤다.

"라즈베리 벤 다즐링. 내 고양이."

"유성임. 너는 왜 죄를 짓고 있나?"

유성임

유성임은 항상 외로웠다. 그는 사람 사귀는 것에 능숙하지 못했고 항상 우울했다. 그가 변하기 시작한 건, 한 사람을 만나면서다.

만난 곳은 극장이었다. 이름은 '조해진'으로 명랑한 사람이다. 죽은 표정으로 일을 하는 성임에게 따뜻한 허브티를 주었다. 항상 웃고 다니는 그는 성임의 이야기를 잘 들어줬다. 연극에 관심이 없던 성임이 연극을 보고 그를 따라 허브티를 좋아하게 된 건 아주 짧은 시간이었다. 성임은 그를 무척 좋아해서 무엇을 하든 따라 했다.

이제 막 스물. 배울 것도 많고 아는 것도 적을 나이. 어른인 척 굴지만 아직은 어리석고 부조리한 것에 나설 줄 아는 나이.

해진은 늘 나설 줄 아는 사람이었다. 그러나 그런 성격에 한 남자에게 얻어맞고 병원에 실려 갔다. 그 중년 남자는 자신은 잘못이 없다고 날뛰다가 곧 억울하다는 유언장과 함께 스스로 목숨을 꺾었다. 화가 난 성임이 길길이 날뛰었다. 해진은 괜찮다고 웃었다. 그가 괜찮다면 다 괜찮은 거라서, 성임은 그의 손을 잡고 따라 웃었다.

모든 게 잘 될 것이라 생각했지만 쉽지 않았다. 해진의 부모님은 그가 이렇게 된 게 평소 생각 없이 가볍게 굴어서라고 말했다. 해진은 점점 야위어갔다. 그렇게 좋아하는 연극도 허브티도 끊었다. 성임의 가슴이 찢어질 것 같았다. 그즈음 밖을 떠도는 고양이를 만나게 된다.

노란 고양이는 머리부터 들이밀고 방을 차지했다. 어이가 없었다. 이름을 붙여주고 잘 먹였다. 해진에게 사진도 보여주며 그가 기운을 차리길 바랐지만, 퇴원과 동시에 연락이 뚝 끊기고 만다.

성임은 외로웠다. 고양이에게 모든 것을 쏟았지만 쉽지 않았다. 너를 정말 좋아해. 성임은 해진에게 매일 문자를 넣었다. 고양이는 그의 문자를 읽을 수 없었지만 슬퍼하는 것을 알았다. 매일 머리를 들이밀며 고통거렸지만 성임의 우울은 가시지 않았다.

결국 성임은 외로움에 굴복한다. 해진이 없어지자 모든 의욕이 사라졌다.

"만약에 내가 둘이라면 걔한테 내 인생을 다 줄 거야."

성임이 중얼거린 마지막 말이었다. 오직 고양이만 들을 수 있었다.

당신은 썩어가는 나무 앞에 있다. 그것을 부드럽게 쓸며 눈물을 흘린다.

"넌 타인의 편을 들지만 사실 자기 욕망밖에 없다."

나는 당신을 안타깝게 바라본다.

"왜 기억을 먹은 것이지?"

"내 기억이 죽어가."

당신이 말했다.

"내 소중한 추억이 죽어가."

당신은 마른 줄기를 부드럽게 쓸었다. 왜 넌 조해진의 나무를 지키는가? 내가 물었다. 너는 고민없이 말했다.

"내 나무는 없어."

"그럴 리 없다."

"아니, 없어."

당신의 얼굴에 물줄기가 흐른다.

"날 기억할 사람이 이렇게 죽어가는데, 내가 있을 리가 없잖아!"

"있다."

나는 이제 솔직히 얘기하기로 했다.

선우 비야는 유성임을 만났다. 그는 다짜고짜 팔을 붙잡고 그의 나무로 향한다. 오래된 길을 걷고 걸으면 그곳에는 아주 작고 어여쁜 꽃나무가 있다. 작은 꽃송이를 터뜨리는 나무가 낯설다. 항상 숲은 모난 기억으로 화가 난 나무로 가득했다. 그런데 이 나무는 너무 예뻤다.

"이게 뭐죠?"

"네 나무야."

"네?"

유성임은 깊은 한숨을 내쉬었다. 선우 비야의 나무는 엉망진창이었다. 그런데 지금 이 나무는 너무 다르게 생겼다. 누가 이렇게 만들었을까? 갑자기 변해버린 기억의 모습에 적잖게 놀랐다.

"팀장은 자기 나무 빼고 자기 소속 애들 나무는 다 알아놔. 무슨 일 생기면 없애려고. 근데 넌 애당초 그럴 필요가 없지. 온 정원사가 네 나무를 아니까. 모두가 아는데, 왜 이런 모습이 된 걸까? 그래서 널 의심했어."

냉정하게 말해놓고 나무줄기를 부드럽게 쓸었다. 선우 비야는 갑자기 온기를 느끼고 눈을 동그랗게 떴다.

"그럼 이제, 잃어버린 기억을 찾아보자."

"네? 누구요?"

"김지환의 기억. 그리고 도둑까지."

유성임은 소매에서 여러 장의 종이를 꺼내 나무에 걸었다. 그러자 종이가 기분 좋게 흔들리며 검은 잉크를 뚝뚝 떨구

160

기 시작한다. 비야가 놀라 다가갔다. 빠르게 글씨가 적히고 있다. 거기에는 선명한 이름이 적혀있다.

-바라.

"이 이름은?"

"미식가 바라겠지. 보통 저렇게 이름만 뜨면 안 되니까. 이 녀석이 범인이지."

"근데 왜 제 나무에?"

"그 녀석이 계속 네 생각을 했으니까."

성임이 허공을 보며 대답했다.

김지환은 그랬다. 자신을 꾸준히 바라봐주는 친구의 비밀. 어린 동생이 죽어버려서. 그 동생이 자신의 글을 좋아해 주었다. 근데 이제 누가 자신의 글을 읽어줄까? 반년 전 떠난 이를 그리는 사람은 갈수록 망가져 갔다. 그러면서 끊임없이 타인을 떠올렸다. 어린 소녀의 죽음이 그를 계속 죽음으로 몰고 갔다.

그리고 그 틈을 타 찾아온 바라.

"바라는 네게도 왔어. 소원을 들어주려고."

그리고 그 기억을 먹으려고. 이게 첫 시작이었다. 왜 기억을 먹는지 알 수가 없다. 하지만 이해할 필요는 없다.

"네가 죽은 이유? 소원을 충족했기 때문이야. 그리고 김지환이 그 길을 걷고 있어."

161

유성임은 몸을 돌려 비야를 봤다.

"아마 이미 기억은 먹혀 돌려줄 수 없을 거야. 하지만 바라를 막는다면........죽지 않겠지."

"제게 그런 이야기를 하시는 건?"

"난 할 일이 있어. 그러니까, 네가 바라에게 가."

"하, 하지만 그는 기억을 먹는다고. 제 기억도 먹었을 텐데."

"기억을 왜 먹지 말라는 줄 알아?"

성임이 그를 보며 웃었다.

"그 기억에 잠식되기 때문이야."

"네?"

"양껏 처먹었으니 널 홀릴 수 없겠지. 그는 널 원할 거야. 먹은 기억이 존재하다니 신기하잖아? 그렇겠지. 그래서 김지환을 완전히 삼키지 못한 거야. 김지환이 아직도 널 기억하는 이유는, 바라가 널 먹었는데도 네가 여기 있기 때문이야."

"어떻게 제가 여기 있는 걸까요?"

성임은 천천히 손을 내밀었다. 그의 손을 비야가 조심히 잡았다.

"네 가족이 널 잊지 못했기 때문이야. 나와 달리."

"네?"

"난 욕심이 많아서 내 기억을 찾아다녔어. 그런데 찾지 못했지. 아마 영영 사라진 걸 거야."

그는 조금 슬퍼 보였다.

"하지만 넌 달라. 아직도 널 기억해주는 사람이 있잖아? 자, 이제 네가 할 일을 일러 줄 테니 민들레 꽃밭 녀석하고 조율사랑 같이 바라에게 가. 그럼 모든 게 해결 될 거야."

성임은 그렇게 말하고 비야에게서 멀어졌다.

"티, 팀장님은 자신의 나무가 왜 없다고 확신해요?"

"있어도 이제와서 찾아봤자야."

"아, 아니에요!"

비야가 외쳤다. 등을 돌린 상사에게 아직 앳된 목소리가 닿는다.

"사회는 모두 이어졌다고 하셨잖아요? 그럼 분명 존재해요!"

".......알았어."

성임은 머리를 긁적이며 고개를 끄덕였다.

"나중에 다시 찾아볼게. 비록 규칙에 어긋나지만."

바라는 비야를 기다리고 있다. 그가 자신의 차와 디저트를 먹어주길 바랐다. 그건 자신이 아껴둔 '선우 비야'의 기억이다. 아끼고 아껴둔 것을 그에게 선물해주려 했는데 달답지 않은 이들과 왔다.

"왕!"

"서, 선배님이 거기까지라고 하십니다."

어린 조율사가 어색한 얼굴로 말했다. 그는 북을 목에 달고 있었다.

"어머나, 손님들이 많이 올 줄 몰랐네요."

"김지환 씨의 기억을 돌려주세요."

비야가 주먹을 말아쥐고 말았다. 바라는 그를 찬찬히 훑어보다가 웃었다.

"왜 그래요? 당신은 세상이 당신을 잊기 바랐잖아요? 김지환 씨의 기억이 없어야, 당신이 세상에 잊혀요."

"아니요!"

비야는 자신이 낼 수 있는 최대한의 큰 목소리를 냈다.

"절 기억할 사람이 아직도 있어요! 그 모든 사람을 다 죽일 건가요?"

"죽인 적 없어요. 다들 그냥 죽었을 뿐이지."

바라가 말했다. 그는 조금 귀찮아 보였다. 기억을 맛보고 읽어내는 미식가는 단 한 사람만 남은 건, 모두가 맛을 보고 미쳐버렸기 때문이다. 다른 방식보다 피부에 닿고 안으로 파고드는 방식이라, 관장조차 지우고 싶어했다.

"그런데 미식가는 왜 아직도 존재할까요?"

바라가 물었다. 비야가 우물쭈물하자, 조율사가 대신 대답했다.

"오직 한 가지 방법으로 기억을 기록할 수 없어요."

비야가 조율사를 바라봤다. 그는 자신이 들고 있는 북의 표면을 만진다.

"소리로 기억하는 방식은 금방 증발해버리고 냄새로 기억하는 방식은 지극히 주관적이게 돼요. 무의식은 이성적인 기록이 되지 못해 서술자가 기록하는데 한계가 생기죠. 그래서 미식이라는 분류를 버리지 못하는 거예요. 가장 깊이 내면을 파고드는 것이기 때문이죠."

"맞아요. 기억을 기록하는 서술자가 암만 보여지는 모든 걸 적는다 해도 시야란 사각지대가 있는 법이니까요. 결국 미식이자 촉각적 기억을 되살려 기록하는 방법을 포기하지 못하는 거죠."

바라는 웃으며 설명했다.

"그런데 왜 당신은 그런 기억을 먹고 있죠?"

비야가 이해하지 못하고 인상을 구겼다. 바라는 팔짱을 끼고 담백하게 말했다.

"맛있으니까."

"네?"

"기억마다 맛이 다르거든요. 기쁠 때 톡 쏘는 맛이 나고, 우울하면 단맛이 나요. 다들 쓰다고 생각하는데, 사실 그렇지 않아요. 우울할수록 단맛이 나요. 그게 정말 맛있어요."

기억을 먹어보지 못했으니 그 음미를 이해할 수 없는 건 당연하다. 바라는 너그러운 마음으로 그들에게 말했다.

"맛있는 걸 먹고 싶은 건 모두가 똑같지 않나요?"

"기억의 미식가면, 먹은 기억을 모두 없앨 수도 있어요."

조율사가 차분하게 입을 열었다. 그는 북을 퉁퉁 두드렸다.

"만약 '선우 비야'라는 기억을 모두 먹어치웠다면 정원사가 될 수 없었죠. 그렇다면, 미식가 당신은 모두 먹지 않았단 거겠네요."

"마음에 드는 맛은 기록하는 편이라."

바라가 들뜬 얼굴을 했다.

"선우 비야의 기억은 정말 맛있어요. 톡 쏠 때도 새콤할 때도 달콤할 때도 남들보다 풍미가 있죠. 김지환 그 사람은 그런 부분이 부족해. 걔는 너무 현실에 집착한다니까."

바라는 한숨을 쉬었다.

"원하는 것도 고작 자기가 기억되길 바라는거니, 한심하죠."

사람은 누구나 살기를 바란다. 죽고 싶다 입으로 말해도 사실은 살고 싶다. 그러나 선우 비야는 온전히 잊히고 싶었다. 이 얼마나 기특한 생각인가!

"그래요. 저는 당신만큼 미식가에 어울리는 사람은 없다고 생각해요. 조해진이 기억의 맛을 본들 그 깊이를 알아챌까요? 아니요! 대단한 위인도 아니고 기막힌 시위도 아니고 그저 자기 욕심 때문에 죽음을 선택한 정원사들이 음식을 알 것 같아?"

바라는 엄지를 물었다. 그는 화가 났다.

"최단비나 김지수 같은 애들을 보라죠? 거짓말만 하다가 주변을 전부 잃고, 난치병을 앓는 동생을 치료하다가 지쳐 모든 걸 포기하고, 얼마나 한심한가요? 당신들은 이 정원을 지킬 자격이 없어요! 기억의 가치를 모르니까! 하지만 선우비야! 당신은 알고 있어요! 그러니까, 잊히고 싶은 거야!"

비야는 뒤로 물러섰다. 그가 잊히고 싶었던 건, 순전히 사람들의 시선 때문이었다. 온전히 받아들이기 힘들었던 날카로운 말. 그 말이 그를 찔렀다.

-쿵!

그 순간, 북소리가 울린다. 모두가 한 사람을 동시에 바라봤다. 조율사가 주먹으로 북을 두드리고 있다.

"그만!"

바라가 화난 듯이 얼굴을 구겼다.

"저 망할 소리 때문에 내가 가꾼 나무가 엉망이 됐어!"

"가꿨다고요?"

"오, 당신의 나무요. 내가 열심히 가꿨죠. 거기에 맛있는 게 나오거든."

"기억의 정원사는 피해자입니다."

두 사람의 대화를 조율사가 끊는다. 그는 무엇인가 결심한 얼굴을 했다. 그의 손이 빠르게 북을 연주한다. 바라는 기겁하며 뒤로 물러났다.

"사회가 몰아세우고 괴롭혀온 사람들이 바로 정원사예요. 그들에게 이 숲은 기회를 주고 있죠."

쿵, 쿵, 쿵! 빠르게 심장이 뛴다. 비야는 자신에게 들려오는 소리가 싫었다.

'그럼, 진짜 못 그리네.'

"제, 제발 그 소리를 좀!"

"싫어요. 정원사가 되는 이유는 '자살' 했기 때문이 아니에요. 그들이 '삶을 포기하지 못해서' 입니다. 기억이 붙잡은 미련이에요. 세상이 몰아세우고 괴롭힌 사람이 선택한, 아니 선택하게 만든 게 한심하다고? 그 많은 기억을 기록하면서 그런 생각을 해요? 당신은 정말 기록자로서 최악이에요."

조율사의 연주가 빨라질수록 두 사람은 괴로워했다. 내내 가만히 있던 민들레밭의 파수꾼이 바라에게 달려들어 물어

168

뜯었다.

"아악!"

"미안하지만, 당신이 가진 모든 기억의 기록을 가져갈 겁니다."

"나, 날 잡으려면 그 조해진도 잡아야 할걸?"

"관장님이 그것도 모를 것 같아요?"

조율사가 말을 끊었다. 평소 주눅 들어있던 모습과 달랐다. 그는 북을 치던 손을 멈추고 주머니에서 작은 향수병을 꺼내 바닥에 모두 쏟았다. 진한 과일 향이 단숨에 퍼졌다. 바라는 코와 입을 틀어막았다.

"그렇게 좋다는 단 것 좀 드시죠! 그리고, 그리고!"

조율사가 비야를 똑바로 응시하며 소리친다.

"인생이 '그까짓 것' 은 아니지만, 살아있는 모든 순간이 최선의 선택이란 걸, 이제 알잖아요?"

"네?"

"정원사님 기억이 만든 노래는 어딘가 벅차지만 시원한 기분이 들어요. 저 사람이 원한 것도 그렇기 때문이겠죠. 포기한 인생이라 생각하지 마요. 포기한 사람은 없어요."

민들레 파수꾼이 찾은 기억의 기록은 정원사의 마침표로 묶였다.

그저 기억이 머무는 이곳은 기억의 숲이다. 통통 북소리가 울리며 해가 지고 민들레 홀씨가 바람을 타고 날아갔다.

　당신은 글을 쓴다. 여전히 매일 죽고 싶단 생각을 한다. 크림색 원피스를 입고 보라색 립스틱을 칠하며 밖을 나갈 때도 종종 그런 생각을 하지만 글을 쓸 때면 아무런 생각도 들지 않는다. 그저 피우던 담배를 끊은 게 허전하다고 중얼거릴 뿐이다.
　당신의 친구는 자주 연락을 하고 글을 읽어주는 첫 번째 독자이다. 그것만으로도 충분한 이유가 되어 계속 글을 쓴다.
　당신은 여러 번 공모전에 떨어진다. 연재도 해보지만 잘되지 않는다. 그래도 조금씩 독자가 늘어난다. 아직 만족스럽지 않지만 당신은 매일 노트북을 바라보며 글을 써본다. 보잘것없는 문장 한 줄을 쓰고서 머쓱하게 하루를 보내기도 한다.
　당신의 글은 어딘가 부족할지 몰라도 나쁘지 않다. 나쁘지 않다는 게 좋다는 건 아니라 생각할지도 모른다. 그렇지만 당신은 계속 쓸 것이다.
　언젠가 조금 더 시간이 지나고 당신은 책을 한 권 낸다. 사는 사람이 많지는 않을 수도 있다. 그러나 뿌듯했다. 그

한 권은 다음 페이지가 된다. 페이지는 서로 이어지며 또 다른 한 권이 만들어진다.

그때까지 정말 많은 시간이 날카롭게 심장을 찢으며 괴롭게 할 것이다. 당신을 비난하고 헐뜯으며 어리석다고 할 것이다. 그게 어쩌면 맞을지도 모른다.

더 많은 이야기를 하고 싶어도 전달할 수 없는 작가인 당신은 그저 글을 쓰기만 한다. 그게 어떤 의미가 크게 있진 않다. 그저 당신은 쓸 것이다. 그게 작가니 말이다.

오래, 아주 오랜 시간이 걸린다. 글이 책이 되고 책이 사람들 입에 오르내리기까지 말이다. 글은 같은 언어인데도 말과 달리 소화시키는데 시간이 걸린다. 그게 당신을 조금 힘들게 할 것이다. 사람들은 이해할 수 없다고 비웃고 낙서라고 비난한다. 그저 장난일 뿐이라고, 먹을 좀 먹은 사람들이 쉽게 얘기한다.

아주 오랜 시간이 걸려도 좋은 결과만 있진 않다. 계속 당신은 이야기할 뿐이다. 그건 시가 되기도 하고 소설이 되기도 하며 어떨 땐 조금 멋들어진 수필이 된다.

당신의 책은 끝이 멀었다. 시리즈가 되어 길게 늘어진 페이지를 따라 걸어갈 당신을 독자는 기다리고 있다. 먼 훗날 당신이 마지막 마침표를 찍을 때까지 말이다.

유성임은 지금 한 그루의 나무 앞에 서 있다. 그 나무는 등나무다. 꽃송이가 입을 맞추듯이 몸을 기울인다. 그는 그 것에게 손을 뻗는다.

"이 나무가........"

"너의 나무다."

"하지만 찾을 수 없었어."

성임은 핏발 선 눈으로 라벤더를 노려본다. 그는 의심을 이해했다. 그럴 수밖에 없었다.

"내가 여기 온 건 우연이 아니다. 난 스스로 목숨을 내던 지지 않았다. 근데 내 기억의 나무가 이 숲의 자리를 너무 차지한다고 관장이 날 따로 불렀다."

도서관 관장은 라벤더에게 기억을 나누는 것을 제안했다. 대신 어떤 기억이 손상을 입어도 금방 복구가 될 것이라 했 다. 그래서 한 그루의 나무를 원하는 곳에 지정했다. 그리 고 그것에게 이름을 붙였다.

"그게, 이 나무라고?"

"온전히 너의 것은 아니다. 네 나무는 너무 많이 상했어. 그래서 따로 보관 중이다. 대신 이 기억의 나무가 너를 만 든다. 그게 네가 둘인 이유다. 네가 기억하는 너와 내가 기 억하는 너. 이 둘이 지금의 널 만들었다."

유성임은 지금 혼란에 빠졌다. 그러나 등나무는 아주 어여쁜 색으로 물들었다. 어떻게 생각하든 이 나무는 친구의 선물이다.

미식가의 죄에 가담한 유성임은 기억의 숲에 더 있을 수 없지만 이 나무만은 그를 기억할 것이다.

도서관 관장이 내린 결단으로 미식가 바라는 기억이 폐기되어 강을 건너지 못했고, 유성임은 소리 없이 사라졌다. 그가 어디로 갔는지 알 수는 없었지만, 그의 기억의 나무는 살아있다.

라벤더는 정원사 팀장 자리를 맡게 되었지만 스스로 물러났다. 별로 재밌어 보이지 않았으니 말이다.

미식가의 자리를 임시적으로 조향사 한줌이 맡았다. 그는 곧 과로사할 것이라 주장했지만 이 숲에서 과로사로 죽는 관리자는 없다.

그리고 기억의 숲 어딘가에서 한 그루 나무가 하얀 나비가 되었다. 그 나무는 친구의 나무도 연인의 나무도 아니다. 또 누군가의 기억이 긴 기다림을 끝으로 추억이란 마지막 장을 닫았을 뿐. 이 장은 도서관 어딘가에 있을 수도, 그저 먼 하늘로 날아갈 수도 있다. 그 끝은 누구도 알지 못하기에 정원사는 오늘도 빈자리에 기억을 심는다.

"이상하네, 소나무라 오래 갈 줄 알았는데."

김지수가 고개를 갸웃거리며 나무를 뽑은 자리에 새로운 소나무를 심는다.

"김 팀장이 잘했어야지!"

"최단비 입닥쳐."

"벤더 선배, 재가 나한테 꼽줘요!"

"둘 다 일이나 해라."

라벤더는 지겹다는 듯이 고개를 저었다. 선우 비야는 여전히 걱정이 가득한 얼굴로 선배들을 볼 뿐이다. 그러거나 말거나 라벤더는 흩어져가는 소나무를 응시한다. 겨우 10년을 산 기억이 안타깝다.

너무 빨리 죽어버린 기억은 손수 민들레꽃밭의 파수꾼이 인도한다. 누구도 이름을 모르는 친구는 라벤더가 주운 솔방울을 물고 강으로 갔다. 급하게 왔는지 머리가 엉망인 송은율이 멀리서 뛰어온다. 품에는 작은 구가 있다. 그가 솔방울이 떠나기 전에 구를 돌렸다. 그러자 강물이 흔들리는 진동과 함께 따뜻한 음성이 퍼졌다.

"이게 무슨 소리야?"

김지수가 고개를 갸웃거리자, 송은율이 얼굴을 붉혔다.

"'처음'이요."

"처음은.......지진이야?"

"아니요!"

어린 조율사가 기겁했다. 그러거나 말거나 우리의 친구는 솔방울을 물에 띄운다. 작은 것이 물결을 타고 흘러간다. 라벤더는 무릎을 꿇고 잘 가는지 바라본다.

그 사이로 작은 종이비행기가 나타난다. 뿔테 안경을 쓴 정원사 김지수가 그것을 집어 읽고는 피곤한 표정을 지었다.

"자, 다들 주목! 또 나무님 가셨단다. 이번에 심을 나무는 나오밤나무다!"

"어린 왕자님이 태어나셨대?"

젊은 남자 정원사가 의아해 물었다. 김지수는 발로 그의 정강이를 걷어차고 도서관으로 향했다.

"노동부에 고소할거야."

정원사는 또 기억을 심었다.

이야기를 마치며.

　설정이나 스토리를 전반적으로 설명드릴까 했지만 애석하
게도 그런 걸 잘못합니다. 말주변이 좋지 못해 오래 고민하
다가 이렇게 작가의 말을 남겨봅니다.
　이 이야기를 떠올릴 적이 한 십 년이 되었네요. <기억의
숲>이라는 이름으로 연재도 해봤지만 반응이 좋지 않아 오
래 보관하고 가끔 꺼내 보고는 했습니다. 그 시절 제게는
이런 글이 참 좋았거든요.
　최근에 어떤 위로는 너무 뻔하지만 그런 것이 위로가 되기
도 한다는 걸 알았습니다. 진부해도 그런 말이 듣고 싶은
사람도 있겠죠.
　요즘은 감성에 냉소적인 사람이 늘었습니다. 그런 분위기
가 사람을 뭉치지 못하고 흩어지게 하며 외롭게 만든다고
생각합니다. 조금 더 따뜻한 세상이 되기를 바라며 이 글을
완성하기로 했습니다.
　이런 글이 위로가 될지, 잘 전달 될지 몰라 아주 오래 고
치고 또 고쳤습니다만 결국 이런 글을 쓰게 되었네요. 저
나름 행복한 결말을 생각해봤습니다.

사람은 누구나 힘들다지만 각자 힘든 상황에서 나름의 최선을 다하고 있다고 믿습니다. 아직 숨을 쉬고 있으니까요. 그렇기에 어떤 기술보다 긍정적인 말과 행동이 분명 변화의 첫걸음이 될 것이라 생각했습니다. 만약 그렇지 않더라도 조금 더 천천히 느리게 변할 수 있겠지요.

누군가는 사람은 쉽게 변하지 않는다고 합니다. 그건 주변을 이루는 환경이 크게 변하지 않기 때문이죠. 걷거나 뛰며 보는 하늘과 서서 보는 하늘은 흘러가는 속도가 다릅니다. 하늘은 일정하게 움직이는데 말이죠.

그러니 변할 수 없다는 말은 자신에게 서운한 말이 아닐까 싶어요. 왜냐하면 분명 자신은 움직이고 있으니까요. 남이 보는 당신은 왜곡된 이미지예요. 자기 자신을 보는 것도 마찬가지죠. 누구도 한 존재를 완벽하게 정의 내릴 수 없습니다. 그래서 이 이야기 역시 지나치게 주관적으로 변한 걸지도 모르죠.

다만 드리고픈 이야기는 내가 입을 다물고 외면한다면 변하는 나 역시 보지 못하고 보내버린다는 걸 기억해주세요. 생각보다 자신은 잘 해내고 있습니다.

사는 건 정말 고된 일입니다. 남들과 비교하게 되고 더욱 마음이 다급해지죠. 나이는 기다려주지 않고 세상은 주어진 시간에 할 일을 자세하게 적어주니까요.

좋은 대학에 가고 회사에 들어가고 결혼해 가정을 이루는 것만이 '좋은 결과'라고 할 수 없다는 걸 모두 알아요. 그러나 그 기준만큼은 흔들리지 않으니 안정되게 느껴질 수 있습니다. 그래서 더욱 비교하며 탓하게 될지도 모르고요.

저는 글쎄요. 잘 모르겠네요. 이미 첫 시작부터 너무 높은 기준이라 포기해버렸습니다. 이런들 어떠하고 저런들 어떠할까요. 먹고 살기만 하면 그만이죠. 우습게도 제가 어디 내놔도 부끄러운 사람이라 이렇게 긴 후기를 쓰고 있다는 게 조금 부끄럽네요. 하지만 작가니까 이야기는 마무리 지어야하죠.

이 글을 읽는 여러분이 외롭지 않고 따뜻한 날이 오기를 바랍니다. 비록 오늘이 힘들더라도 내일은 내일의 바람이 불기를 바라고 또 기대합니다.

마지막으로 시 한 편을 부칩니다.

마치지 못한 문장 - 정이서

멍이 든 가슴을 잡고 나는 울지 않을 것이다,
우는 건 지는 거니까,

이기고 싶으니 울지 않을 것이다,
우는 건 약한 거니까,

어떤 위로에도 멍 자국이 가득한 밤이 오면
쏟아지는 문장을 따라 흐느낀다,

나를 사랑해,
마치지 못한 문장을 끌어안으면
잉크 자국이 가슴에 묻는다,

멍이 든 가슴을 잡고 나는 울지 않을 것이다,
울다 잠들면 문장을 마칠 수 없으니까,

나는 사랑해,
나를 사랑해,

내가 사랑해

뻔하디 뻔한 말을 남기고
네가 오기를 기다리며
울지 않을 것이다

두 볼에 흐르는 물기가 눈물이라도
나는 울지 않을 것이다